예비 창업자를 위한 27가지 마스터 키트 (입문편)

발　행 | 2024년 07월 10일
저　자 | 김지환
펴낸이 | 한건희
펴낸곳 | 주식회사 부크크
출판사등록 | 2014.07.15.(제2014-16호)
주　소 | 서울시 금천구 가산디지털1로 119 A동 305호
전　화 | 1670-8316
이메일 | info@bookk.co.kr

ISBN | 979-11-410-9396-9

START-UP

예비 창업자를 위한

27가찌 마스터 키트

#입문편 #핵심공략집

저자: 김지환

목차

프롤로그

많은 예비 창업팀이 한결같이 "창업을 어디서부터 어떻게 시작해야 할지 모르겠어요!"라고 토로한다. 설령 창업을 시작하더라도 도중에 문제가 발생하면 어디서부터 해결해야 할지 막막해한다. 그러면서 온라인과 서적을 뒤져 해법을 찾아보지만, 쉽사리 답을 얻지 못한다. 책에서 성공 사례를 접하는 순간은 무릎을 치며 감동하지만, 정작 책을 덮으면 자신의 상황과는 동떨어져 있음을 깨닫게 된다.

이처럼 손쉽게 접할 수 있는 온라인 정보와 서적이 넘쳐나는 요즘, 왜 이런 일이 벌어지는 걸까? 최근엔 AI 기술이 발달하여 적절한 질문만 던져도 원하는 정보를 얼마든지 얻을 수 있는 시대가 아닌가? 이에 대한 근본적인 원인은 크게 두 가지로 요약할 수 있다.

첫째, "스스로의 역량을 제대로 진단하고 강화하지 못했기 때문"이다.

둘째, "전체적인 흐름을 이해하고 체계적인 방법론을 접하지 못했기 때문"이다.

우리는 성공 스토리와 멘토의 가르침을 수없이 접해왔지만, 정작 위의 두 가지 내용을 심도 있게 다루고 알려주는 곳을 찾기란 매우 어렵다. 세계 지도처럼 전체적인 흐름을 설명하기 위해서는 각 구성 요소에 대한 깊이 있는 이해가 선행되어야 하기 때문이다.

저자는 다수의 스타트업 창업 경험과 컨설팅, 그리고 오랜 직장 생활을 바탕으로 십 수년간 비즈니스 시장을 면밀히 연구해왔다. 이를 토대로 창업에 대해 아무것도 모르는 대학생 창업팀을 선정하여 인큐베이팅을 진행한 결과, 3년 만에 이들 모두 각종 정부 지원사업과 투자를 유치하는 성과를 거뒀다. 이는 다른 창업 기관이나 대학에서 오랜 시간 자랑해온 실적에 버금가는 성과였다. 비유하자면 양보다 질에 초점을 맞춰 승부를 본 셈이다.

이러한 경험을 통해 저자는 이론과 실전의 균형점을 실무적으로 정립할 수 있었고, 이를 바탕으로 스타트업 강사를 위한 전문 저서 《스타트업 실전 바이블》을 집필할 수 있었다. 이것은 저자가 직접 고안한 "스타트업 워킹 프레임워크 '액션 프로세스 지표 API(Action Process Indicator)'"와 "경영 비즈니스 상호 관계도"를 근간으로, 정부 지원 사업계획서 작성 전략을 안내하고 있다.

여러분이 지금 읽고 있는 이 책 또한 "액션 프로세스 지표"

를 근간으로 작성되었다. 어려운 용어는 가급적 배제하였고, 예비 창업가라면 반드시 알아야 할 핵심 요소만 최대한 담아내고자 노력했다. 이와 더불어 전체적인 시야를 갖고 수행할 수 있도록 '스타트업 카드 kit'를 개발했다.

'스타트업 카드 Kit'는 숲, 나무, 길, TEAM, 도구의 속성으로 구분되며, 단계별로 구성되어 있다. 만약 창업 과정에서 방향을 잃었다면 이 카드를 활용해 자신의 위치를 즉시 파악할 수 있다. 이것은 독자 여러분의 소중한 시간을 절약해 주는 지도이자 나침반 역할을 할 것이다. 한 손엔 지도, 다른 한 손엔 나침반을 손에 넣었으니, 이제부터 정상을 향해 나아가 보자.

2024.07.07.
김지환

활용 안내

본 안내서는 예비 창업가가 반드시 알아야 할 27개의 핵심 사항과 지침을 수행 관점에서 안내한다. 이 27가지 스타트업 수행 항목은 크게 두 가지 방식으로 분류된다.

첫째, 속성별 구분

창업가의 여정은 등산가가 산을 오르는 것과 유사하다. 산을 오르기 위해서는 여러 요소를 고려해야 한다. 어떤 산을 오를지 정하고, 산의 높이와 지형을 파악하는 것이 '숲을 보는' 단계다. 그 다음 주변의 나무와 표지판을 확인하며 '나무를 보는' 단계를 거친다. 마지막으로 표지판을 따라 '길을 걷는' 단계로 나아간다.

하지만 이 외부 요인들을 살피기 전에, 가장 중요한 내부 요인을 먼저 확인해야 한다. 바로 '나'와 '우리'를 이해하는 것이다. 그래서 이 모두는 중심축이 된다. 또한 등산에 필요한 장비를 다룰 수 있는 능력과 끈기, 현명함과 같은 역량도 필수적이다.

따라서 27가지 수행 항목은 숲, 나무, 길, TEAM, 도구(방법론)

로 구분되어 있다. 만약 길을 잃었다면, 숲의 속성을 확인해 보라. 자신의 위치와 상태를 한눈에 조망할 수 있을 것이다.

둘째, 수행 단계별 구분

속성별 구분만으로는 수행 단계를 파악하기 어렵다. 어디서 시작해서 어디로 가야 하는지, 그리고 무엇을 선택해야 하는지 알기 어렵다. 그래서 27가지 항목을 수행 단계별로 재구성했다. 이를 통해 여러분은 각 단계에서 무엇을 해야 하고, 무엇을 하지 말아야 하는지 쉽게 이해할 수 있을 것이다.

이 두 가지 분류 방식을 통해, 여러분은 스타트업의 여정을 더 체계적이고 효과적으로 준비할 수 있다. 산을 오르듯, 한 걸음씩 신중하고 꾸준하게 나아가라.

속성별 구분 (중요)

숲	· PMF 로드맵 · 경영 비즈니스 · 기업 비전 · 매니지먼트 구조
나무	· 기업 미션 · 가치 전달 · 핵심 가치 · Pre-프로토타입 · 프로토타입 · 셀링포인트 & 니즈포인트
길	· 아이디어 · 해결 방안(Solution) · 비교분석 · 가격설정
TEAM	· 비즈니스 형태 · 소셜 미션 · 꿈, 이상, 바람 · 준비 자세 · 페인포인트

도구 (방법론)	· 브레인스토밍 · 마인드맵 · STP · 가치 제안 캔버스 · KBF · PESTLE · TAM-SOM-SOM, EVG · 현장 조사 및 체험

수행 단계별 구분 (중요)

※사업 아이템 단계(3 단계)는 도구(방법론)를 활용하여 단계별 항목을 수행한다.

	1단계	2단계	3단계		
	Me	경영(팀) 철학	사업 아이템		
1 Depth	꿈, 이상, 바람	경영 비즈니스 매니지먼트 구조 기업 비전	아 이 템	페인포인트 아이디어 해결 방안	**활용 도구** 현장 조사 및 체험 브레인스토밍 마인드맵
2 Depth	준비 자세	PMF 로드맵		가치 전달 Pre-프로토타입 비교분석 핵심 가치	**활용 도구** STP 가치 제안 캔버스 현장 조사 및 체험
3 Depth	비즈니스 형태	소셜 미션 기업 미션		프로토타입 가격설정	**활용 도구** PESTLE KBF TAM-SOM-SO M, EVG

목표	고객 니즈 = 셀링포인트 + 니즈포인트

1 단계: Me

1. 꿈, 이상, 바람

> ☑ **핵심 포인트**
>
> · 꿈은 비현실과 미래의 속성을 가지고 있다.
> · 꿈은 현재를 설정하고 목표를 명확히 해준다.
> · 리더의 꿈은 조직의 비전이 된다.
> · 꿈은 구체적 계획이 있을 때 비전이 된다.

우리는 종종 꿈을 떠올릴 때 막연함, 비현실적인 느낌을 받곤 한다. 하지만 동시에 꿈은 우리에게 희망을 주기도 한다. 이처럼 꿈은 비현실과 미래라는 두 가지 속성을 모두 내포하고 있다.

스타트업에서 꿈은 왜 중요한 요소로 여겨질까? 그것은 꿈이 현재를 설정하고 목표를 명확히 해주는 역할을 하기 때문이다. 특히 리더 개인의 꿈은 기업 비전의 핵심축이 되어, 조직 전체의 목적과 방향성을 설정하는 데 큰 영향을 미친다. 다시 말해, 개인의 꿈과 기업의 비전은 서로 떼려야 뗄 수 없는 관계인 것이다.

하지만 여기서 주의할 점이 있다. 꿈이 단순히 막연한 상상에 그쳐서는 안 된다. 꿈은 **구체적인 계획**과 결합될 때 비로소 비전이 된다. 비전은 조직이 도달하고자 하는 미래의 모습을 그리는 것으로, 조직의 궁극적인 목적을 내포한다. 이 비전을 달성하기 위해 조직은 명확한 목표를 설정하고, 이를 위한 전략과 계획을 수립한다. 즉, 꿈이 비전으로 구체화되고, 비전은 다시 목적과 목표로 연결된다. 이렇게 목표가 있는 단계별 계획이야말로 현실을 만들어가는 팀의 존재 이유가 된다. 그러므로 꿈을 꾸는 것은 미래와 현재를 설계하는 데 있어 반드시 필요한 과정이다. 그렇다면 이런 꿈과 비전은 실제로 어떻게 작용할까? 다음의 에피소드를 통해 좀 더 구체적으로 살펴보자.

에피소드

한 스타트업의 CEO는 '모든 사람들에게 편리한 이동수단을 제공하는 것'을 자신의 꿈으로 삼았다. 이 꿈은 점차 구체적인 비전으로 발전했고, CEO는 이를 바탕으로 단계별 목표를 세워나갔다. 시행착오도 있었지만, CEO의 확고한 비전과 구체적인 계획은 팀 전체에 동기를 부여했다. 결국 이 스타트업은 혁신적인 카셰어링 서비스를 선보이며 업계에서 크게 성장할 수 있었다. 이는 리더의 꿈이 조직의 비전이 되고, 구체적인 계획으로 이어져 성공을 이끈 좋은 사례다.

결론 및 정리

꿈은 단순히 막연한 희망에 그쳐서는 안 된다. 꿈은 구체적인 계획과 결합될 때 비로소 비전이 되고, 현재를 설정하며 목표를 명확히 해주는 역할을 한다. 특히 스타트업에서 리더의 꿈은 조직 전체의 비전이 되어, 팀에 방향성과 동기를 부여하는 원동력이 된다.

그러므로 우리는 꿈을 가볍게 여기거나 무심코 흘려보내서는 안 된다. 보다 나은 현실을 만들어가기 위해서는 미래를 구체적으로 설계하고, 이를 달성하기 위한 단계별 계획을 세워야 한다. 스타트업이 성공으로 나아가기 위해서는 리더의 꿈을 조직의 비전으로 승화시키고, 이를 실현하기 위한 구체적인 노력이 뒷받침되어야 할 것이다.

2. 준비 자세

☑ 핵심 포인트

· 준비 자세: 예비 창업팀이 간과하는 중요한 요소
· 창업 전 자신의 상태를 점검하고 마음가짐을 다지는 과정
· 스타트업의 성패를 좌우하는 핵심 요소

준비 자세가 왜 그토록 중요할까? 제품을 빨리 만들어 판매하는 것이 더 나아 보일 수도 있다. 하지만 그 이면을 들여다보면 준비 자세가 얼마나 핵심적인 요소인지 깨닫게 된다. 실제로 많은 스타트업 초기팀이 중도에 해체되거나 폐업하는 이유 중 상당수는 팀원 및 리더의 개인사가 원인이다. 특히 리더의 생활비 문제로 팀이 와해되는 경우도 적지 않다. 미혼이라면 아르바이트로 어떻게든 버틸 수 있겠지만, 기혼자라면 배로 어려워진다. 자녀가 생기면 더더욱 버거워진다. 게다가 책임져야 할 가족뿐 아니라 팀원까지 있으니 진퇴양난에 빠질 수밖에 없다.

처음 창업에 뛰어들 때는 모두가 장밋빛 미래를 그리며 도전

을 선택했을 것이다. "6개월만 버티면 된다", "1년만 견디면 승산이 있다"는 말로 서로를 다독였겠지만, 현실은 그리 녹록지 않다. 사업은 예상대로 흘러가는 경우가 드물다. 열 번 중 아홉 번은 뜻밖의 상황이 펼쳐진다.

준비 기간이 지나고 1년이 다가올 무렵, 임계점에 다다른다. 철봉 매달리기 시합에서 시간이 갈수록 힘이 빠지듯, 어깨가 처질 수밖에 없는 상황. 스타트업은 여기에 팀원과 가족이라는 무게까지 더해진다. 혼자 버티기도 힘든데 이 짐까지 짊어지니 고통이 가중된다.

그래서 준비 자세의 단계가 필요한 것이다. 준비 자세는 앞서 말한 항목 외에도 셀 수 없이 많다. 그중 주요 항목을 나열하면 다음과 같다. 스스로 질문하고 답해보자.

· 생활비가 바닥났을 때 감당할 수 있는가? 이에 대한 대안을 마련해 두었는가?

· 팀원들 역시 경제적 어려움에 직면할 수 있음을 인지하고 있는가?

· 어려운 상황에서도 넓은 마음으로 팀원들을 포용할 준비가 되어 있는가?

· 서로를 신뢰하며 함께 나아갈 수 있는 팀워크가 있는가?

· 창업이 팀원 개개인의 가정사에까지 영향을 미칠 수 있음을 이해하고 있는가?

· 팀원 모두에게 창업에 대한 간절함과 절실함이 충분한가?

· 리더로서 부드러움(붓)과 강인함(칼)을 동시에 갖추고 있는가?

· 긴 여정에 팀원들이 지쳐 있을 때, 어떻게 그들을 독려하고 이끌어 갈 것인가?

· 리더로서 가정과 조직 모두를 아우르며 솔선수범할 준비가 되어 있는가?

· 팀원들의 '간절함'의 정도가 다를 수 있음을 인지하고, 시간을 들여 서로의 마음을 맞춰나갈 준비가 되어 있는가?

에피소드

A 스타트업의 리더 B씨는 5년 전, 동업자 2명과 함께 창업에 뛰어들었다. 그들은 각자 400만 원씩 출자하여 본사 사무실을 열었고, 2년 후 10명의 직원을 거느리는 중소기업으로 성장했다. 그러나 3년 차에 접어들면서 B씨의 동업자 중한 명이 개인적인 사정으로 빠지게 되었고, 나머지 동업자마저 힘든 상황에 직면하게 되었다. 결국 B씨 혼자 회사를 이끌어야 했고, 가족의 생계까지 책임지는 상황에 놓이게 되었

다. 그는 팀원들의 급여를 맞추기 위해 은행에서 대출을 받아야 했고, 매달 이자 부담에 시달렸다.

B씨는 준비 부족이 화근이었음을 뼈저리게 깨달았다. 만약 창업 전, 팀원 및 리더의 개인사를 철저히 점검하고, 위기 상황에 대비했더라면 이런 일을 겪지 않았을 것이다. 그는 지금도 후배 창업자들에게 준비 자세의 중요성을 강조한다. "창업은 전쟁과도 같습니다. 전쟁에 나가기 전 무기와 물자, 병력을 꼼꼼히 점검하듯, 창업 전 모든 준비를 철저히 해야 합니다. 그래야만 어려움이 닥쳐도 이겨낼 수 있습니다."

결론 및 정리

지금까지 스타트업에서 준비 자세가 얼마나 중요한지 살펴봤다. 표면적으로는 드러나지 않지만, 이 준비자세야말로 창업이라는 험난한 여정을 견뎌내는 핵심 요소라 할 수 있다. 만약 아직 준비되지 않았다고 판단이 들었다면, 주저 없이 창업을 미루는 것이 현명하다. 사업은 직장생활처럼 안정적인 월급이 보장되는 곳이 아니다. 살아남기 위해 치열하게 싸워야 하는 정글과도 같은 세계이다.

따라서 충분히 준비되지 않았다면, 한발 물러서서 재충전의 시간을 가져라. 그 시간 동안 부족한 부분을 보완하고, 팀원들과 더욱 돈독한 유대감을 쌓으며, 사업 계획을 다시 한번 점검하는 것을 권장한다. 그러한 과정을 거쳐 만반의 준비를 마친 후에 창업에 도전한다면, 성공할 확률은 한층 더 높아질 것이다.

창업은 마라톤과도 같다. 순간의 속도보다는 끝까지 완주할 수 있는 체력과 정신력이 더욱 중요하다. 지금 당장은 스타트를 끊었을지라도, 그것이 결승점에 더 가까이 다가가기 위한 선택이 될 수 있음을 명심하자. 준비된 창업자만이 이 험난한 레이스를 완주할 수 있다.

3. 비즈니스 형태

☑ **핵심 포인트**

· 창업 시 비즈니스 형태 선택의 중요성
· 창업자의 가치관, 목표, 역량에 따른 비즈니스 형태 선택
· 비즈니스 형태 구분의 기준: 조직의 목적과 운영 방식

창업을 결심했다면 다음으로 고려해야 할 것은 비즈니스의 형태를 선택하는 것이다. 준비 자세가 되었다고 해서 무작정 사업에 뛰어드는 것은 큰 위험을 감수해야 한다. 어떤 형태의 조직을 구성할 것인지에 대한 콘셉트가 명확하지 않다면 조직의 정체성과 방향성이 흐릿해질 수 있기 때문이다.

비즈니스의 형태는 크게 사업, 장사, 프리랜서, 비영리 단체, 연구 창업 등으로 나눌 수 있다. 각 형태는 조직의 목적과 운영 방식에 따라 구분되며, 창업자가 원하는 사업의 방향성, 규모, 성장 전략 등에 따라 적합한 비즈니스 형태가 달라질 수 있다. 따라서 자신의 가치관과 목표, 역량을 냉철히 분석하는 한편, 각 형태별 특성과 장단점을 꼼꼼히 검토하는 과

정이 선행되어야 한다.

에피소드

많은 예비 창업자들이 비즈니스 형태의 차이를 간과한 채 창업에 뛰어드는 경우가 많다. 한 대학의 M 대표 사례가 이를 잘 보여준다. M 대표는 책방 창업을 통해 출판 사업을 하고자 했지만, 정작 자신에게 적합한 비즈니스 형태가 무엇인지 깊이 고민하지 않았다. 외부의 조언에 의존한 나머지 자신의 역량과 목표에 부합하지 않는 법인을 설립하는 우를 범했고, 결국 시행착오를 겪은 끝에 좌절하고 말았다.

만약 M 대표가 자신에게 맞는 형태가 소규모의 개인 출판이나 책방 운영보다는, 연구 인력이 팀을 이뤄 지식 콘텐츠를 개발하는 '연구 창업'에 가깝다는 것을 깨달았더라면 이런 우여곡절을 겪지 않았을 것이다. 물론 연구 창업 역시 안정적인 수익원 확보가 관건이라는 점에서 잠재 리스크가 크다. 하지만 적어도 자신의 정체성과 방향성을 견지하며 한 걸음씩 나아갈 수 있었을 것이다.

결론 및 정리

창업에 뛰어들기 전에 비즈니스의 형태부터 명확히 하는 일, 그리고 그 선택의 중심에 '나'를 놓는 일. 결코 쉽지 않은 과제이지만 반드시 필요한 과정이다. 창업자 스스로에 대한 끊임없는 성찰과 학습이야말로 지속 가능한 성장의 바탕이 된다.

자신이 추구하는 가치와 목표가 무엇인지, 강점과 한계는 어디에 있는지를 냉정히 마주할 때 비로소 최적의 비즈니스 형태를 선택할 수 있다.

비즈니스 형태 구분 (※ 항목의 중첩이 있을 수 있음)

그룹	항목	정의	특징
사업 유형	사업	이윤을 목적으로 재화나 서비스를 제공하는 조직이나 활동	· 법인 또는 개인이 운영 · 장기적인 계획과 전략 필요 · 다양한 산업 분야 존재
	장사	소규모로 재화나 서비스를 사고파는 활동	· 개인 또는 소규모로 운영 · 즉각적인 수익 추구 · 낮은 초기 투자 비용
	스타트업	혁신적인 아이디어나 기술을 기반으로 한 초기 단계의 기업	· 빠른 성장과 확장을 목표 · 높은 위험, 높은 보상 · 투자 및 시장 진입 전략 중시
	연구 창업	연구 성과나 기술을 기반으로 한 창업 활동	· 혁신 기술, 연구 성과 활용 · 높은 초기 투자와 위험 · 학술 기관과의 협력 가능
사회적 목적	비영리 단체	사회적, 문화적, 환경적 목적을 위해 활동하며, 이윤을 추구하지 않는 조직	· 공익을 목적으로 운영 · 기부, 후원, 자원봉사에 의존
	사회적 기업	사회적 문제를 해결하기 위해 상업적 활동을 하는 기업	· 사회적, 환경적 가치 중시 · 이윤의 상당 부분을 사회적 목적에 재투자 · 공익과 수익의 균형
	소셜 벤처	사회적 문제를 해결하기 위해 혁신적 접근 방식을 채택한 스타트업	· 사회적, 환경적 가치 창출 · 혁신적 기술, 아이디어 활용
	협동 조합	조합원들이 공동으로 소유하고 운영하는 조직	· 민주적 운영 방식 · 서비스 제공에 초점
	마을 기업	지역 주민들이 주도하여 설립한 기업으로, 지역 경제 활성화를 목표로 함	· 지역 자원 활용 · 주민들의 참여와 협력 · 지역사회 발전에 기여
개인 노동	프리랜서	고용 계약 없이 독립적으로 일하는 개인	· 프로젝트 단위로 일함 · 유연한 근무 시간

2 단계: 경영 철학

4. 경영 비즈니스

☑ 핵심 포인트
· 비즈니스 세계의 전체 조망의 중요성 · Plan(전략)과 Do(전술)의 균형 · 비즈니스 상호 관계도의 활용 · 단계적 접근의 필요성

비즈니스 세계는 거대한 숲과 같다. 예비 창업자에게 가장 필요한 건 이 숲을 한눈에 볼 수 있는 안목이다. 이를 위해 '비즈니스 상호 관계도'를 활용할 수 있다. (다음의 그림을 보자.)

이 관계도는 Plan(전략)과 Do(전술) 두 영역으로 나뉜다. Plan 은 사업계획서에 해당하며, 아키텍처를 중심으로 비즈니스 모델과 핵심 가치를 포함한다. Do는 운영계획서에 해당하며, 매니지먼트를 중심으로 운영프로세스와 프레임워크로 구성된다. 성공적인 비즈니스를 위해선 이 두 영역의 조화가 필수적이다.

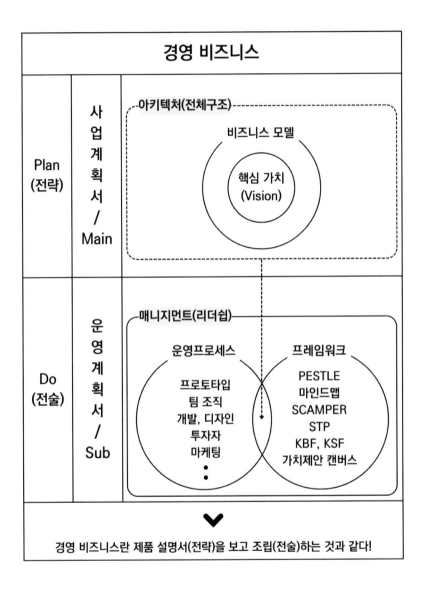

비유하자면, Plan은 숲의 청사진을 그리는 것이고, Do는 실제로 나무를 심고 길을 내는 과정이다. 둘 중 어느 하나라도

소홀히 해선 안 된다. 초기 단계에서는 모든 것을 완벽히 갖출 필요는 없다. 단계적 접근이 중요하다. 전체 그림을 그리되, 한 걸음씩 나아가는 것이 핵심이다.

에피소드

에어비앤비의 성공 사례를 통해 Plan과 Do의 균형을 살펴보자. 그들은 처음에 단순한 아이디어로 시작했다. '남는 공간을 여행객에게 빌려주자'는 것이었다. 이는 Plan 영역의 비즈니스 모델에 해당한다. 그들의 핵심 가치는 '어디서나 집처럼 편안한 여행 경험'이었다.

하지만 이 아이디어를 현실화하기 위해서는 Do 영역의 치밀한 운영이 필요했다. 사용자 친화적인 플랫폼 개발, 안전한 결제 시스템 구축, 신뢰할 수 있는 리뷰 시스템 등 복잡한 운영 프로세스가 요구됐다. 또한 지속적인 서비스 개선을 위해 디자인 씽킹과 같은 혁신적인 프레임워크를 적극 활용했다.

에어비앤비의 성공 비결은 바로 이 Plan과 Do를 균형 있게 발전시킨 데 있다. 그들은 전체 비즈니스라는 '숲'을 보면서도, 세부 운영 요소라는 각각의 '나무'를 소홀히 하지 않았다. 예를 들어, 글로벌 확장이라는 큰 그림을 그리면서도 각 지역의 특성에 맞는 세부 전략을 수립하고 실행했다.

이처럼 에어비앤비는 혁신적인 비즈니스 모델(Plan)과 철저한 실행(Do)의 조화를 통해 숙박 산업을 완전히 뒤바꾸는 데 성공했다. 이는 스타트업이 비전을 현실로 만들어가는 과정에서 전략과 실행의 균형이 얼마나 중요한지를 잘 보여주는 사례다.

결론 및 정리

경영 비즈니스의 핵심은 숲을 보는 안목을 갖추는 것이다. 하지만 동시에 각 나무의 중요성도 인지해야 한다. '비즈니스 상호 관계도'는 이를 위한 유용한 도구다.

기억하자, 모든 도구와 프레임워크는 당신의 비전 실현을 위한 수단일 뿐이다. 가장 중요한 건 당신이 왜 이 숲을 만들고자 하는지, 그 이유를 잊지 않는 것이다.

5. 매니지먼트 구조

☑ **핵심 포인트**

· 매니지먼트 계층구조의 이해

· 기업이념의 구성 요소

· 계층구조와 기업이념의 연관성

· 비전에서 업무까지의 일관성

매니지먼트 계층구조는 기업의 근간을 이루는 핵심 개념이다. 이는 업무, 계획, 전술, 전략, 비전으로 구성된 피라미드 형태로 표현된다. 이 구조는 마치 나무와 같아서, 업무는 뿌리, 계획과 전술은 줄기, 전략은 가지, 비전은 열매에 비유할수 있다. 기업이념은 비전, 미션, 가치관이 교차하는 지점에서 형성된다. 비전은 기업이 추구하는 미래상, 미션은 현재의 구체적 임무, 가치관은 중요하게 여기는 원칙과 신념이다. 이세 요소가 조화롭게 어우러질 때 기업의 정체성을 규정하는이념이 탄생한다.

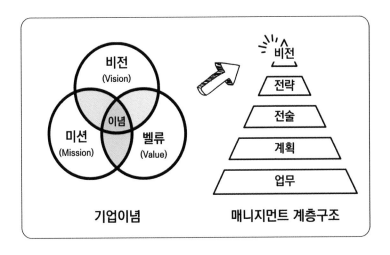

계층구조와 기업이념은 밀접하게 연관되어 있다. 비전은 두 모델에서 모두 최상위에 위치하며, 이는 기업의 궁극적 지향점을 나타낸다. 이 비전을 바탕으로 전략, 전술, 계획, 업무가 순차적으로 구체화되며, 이 과정에서 미션과 가치관이 중요한 지침이 된다.

예비 창업자라면 이 구조를 잘 이해하고 적용해야 한다. 성공적인 기업 운영을 위해서는 비전에서 업무까지 모든 계층이 일관성을 유지해야 한다. 최상위 비전이 일상적 업무에까지 영향을 미치고, 반대로 일상적 업무가 비전 실현에 기여하는 선순환 구조를 만들어야 한다. 이렇게 할 때, 당신의 스타트업은 흔들림 없이 성장할 수 있을 것이다.

에피소드

애플의 부활 사례는 매니지먼트 계층구조의 중요성을 잘 보여준다. 1997년 스티브 잡스의 복귀 당시, 애플은 심각한 위기에 처해 있었다. 잡스는 먼저 "인간의 창의성과 기술의 접점에 서는 것"이라는 비전을 재정립했다. 이를 바탕으로 "Think Different" 캠페인이라는 전략을 수립했고, iMac, iPod, iPhone 등 혁신적 제품 라인업이라는 전술을 펼쳤다. 이는 구체적인 제품 계획과 일상적인 업무로 이어졌다. 비전부터 업무까지 모든 계층이 일관성 있게 연결되었기에 애플은 놀라운 부활을 이뤄낼 수 있었다. 이는 매니지먼트 계층구조가 얼마나 중요한지, 그리고 기업이념이 어떻게 실제 비즈니스 운영에 영향을 미치는지 보여주는 탁월한 예시다.

결론 및 정리

창업자라면 매니지먼트 계층구조와 기업이념의 이해는 필수다. 초기에는 모든 역할을 혼자 수행할 수도 있겠지만, 비즈니스가 성장하면서 각 계층의 역할 인식은 중요하다. 비전 없는 업무는 방향을 잃고, 업무 없는 비전은 공허하다. 모든 계층이 조화롭게 작동하고, 기업이념이 의사결정의 기준이 될 때 비로소 성공적인 비즈니스가 된다. 매니지먼트 계층구조와 기업이념을 일관성 있게 적용해 나가길 권한다.

6. 기업 비전

☑ 핵심 포인트

· 비전의 정의와 중요성
· 비전, 목적, 목표의 관계
· 비전의 역할과 영향력
· 예비 창업가를 위한 비전 수립 가이드

비전은 '미래에 달성하고자 하는 목표나 이상'을 의미한다. 이는 단순한 목표 설정을 넘어, 기업의 존재 이유와 나아갈 방향을 제시하는 나침반 역할을 한다.

비전은 목적을 수반하고, 목적은 다시 목표를 수반한다. 이 세 요소가 유기적으로 연결될 때, 팀원들에게 강력한 동기를 부여하고 명확한 방향성을 제시할 수 있다. 등산으로 비유하자면, 산 정상에 오르는 것이 목적이고, 중간 지점을 설정하는 것이 목표라면, 정상에서 함께 기뻐하는 모습을 그리는 것이 비전이다.

비전은 팀의 방향을 제시하고, 운영 전술과 전략 결정에 도움을 준다. 또한 팀원들에게 동기를 부여하고, 그들의 행동을 일정한 방향으로 유도하는 구심점 역할을 한다. 특히 불확실성이 높은 스타트업 환경에서 비전의 중요성은 더욱 크다.

예비 창업가에게 비전 수립은 필수다. 비전은 사업의 존재 이유와 창출할 가치를 명확히 해주며, 투자자 설득, 인재 영입, 고객 확보에 결정적인 역할을 한다. 비전 수립 시 사업이 해결할 문제, 미래의 모습, 세상에 가져올 변화 등을 고려해야 한다.

에피소드

아마존의 창업자 제프 베조스의 초기 비전은 "지구상에서 가장 고객 중심적인 기업이 되는 것"이었다. 이 비전은 단순히 '많은 물건을 파는 것'이 아니라, '고객 경험'에 초점을 맞추고 있었다.

이 비전을 바탕으로 아마존은 원클릭 주문 시스템 개발, 당일 배송 서비스 도입 등 다양한 목적과 목표를 설정했다. 이런 구체적인 목표들은 모두 '고객 중심'이라는 큰 비전 아래에서 일관성 있게 추진되었다. 결과적으로 아마존은 단순한 온라인 서점에서 시작해 전 세계 최대의 이커머스 기업으로 성장했다. 이는 명확한 비전이 얼마나 강력한 영향력을 발휘할 수 있는지 보여주는 좋은 예다.

결론 및 정리

비전은 당신 사업의 나침반이다. 이를 통해 불확실한 미래를 향해 나아갈 때, 올바른 방향을 잃지 않을 수 있다. 비전은 현실적이면서도 도전적이어야 한다. 너무 쉽게 달성할 수 있는 비전은 팀원들에게 동기를 부여하지 못하고, 너무 비현실적인 비전은 오히려 좌절감을 줄 수 있다.

예비 창업가인 당신, 지금 바로 비전을 수립하자. 당신의 사업이 해결하고자 하는 문제, 5년, 10년 후의 모습, 세상에 가져올 변화를 고민하자. 그리고 이를 명확하고 간결하게 표현하라. 당신의 비전이 팀원들에게 영감을 주고, 고객들에게 감동을 주며, 세상을 더 나은 곳으로 만드는 원동력이 되기를 바란다. 기억하자. 비전은 단순한 슬로건이 아니라 당신 사업의 존재 이유이자 미래의 청사진이다.

7. PMF 로드맵

☑ 핵심 포인트
· PMF 로드맵의 의미와 중요성 · 예비 창업자의 단계별 목표 · POC의 역할과 중요성 · MVP, MMP, MLP의 선택과 전략 수립

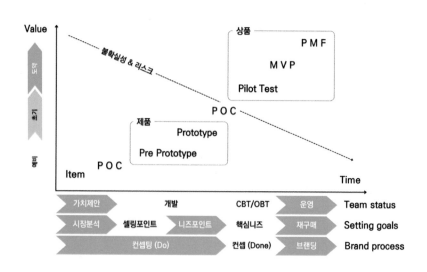

스타트업 세계는 미지의 바다와 같다. 이 바다를 항해하기 위해서는 반드시 나침반이 필요한데, 그것이 바로 PMF 로드맵이다. PMF는 Product Market Fit의 약자로, 우리의 제품이 시장의 니즈와 완벽하게 맞아떨어지는 상태를 말한다. 이것이 스타트업의 궁극적인 목표다.

PMF 로드맵은 아이디어에서 시작해 최종적으로 PMF에 도달하는 전 과정을 보여준다. 이 여정에서 가장 중요한 것이 바로 POC(Proof of Concept)다. POC는 우리의 아이디어나 제품이 실제로 구현 가능하고 가치가 있는지를 **검증하는 과정**이다.

POC는 각 단계마다 다르게 적용된다. 아이디어 단계에서는 **실현 가능성**과 **시장성**을, 프로토타입 단계에서는 **기술적 구현 가능성**을, MVP 단계에서는 **실제 시장 반응**을 검증한다. 이렇게 단계별로 POC를 거치는 이유는 무엇일까? 한 번의 실패가 스타트업 전체를 무너뜨릴 수 있기 때문이다. 마치 등산을 할 때 각 구간마다 안전을 확인하는 것과 같다.

PMF를 달성하기 위해서는 MVP(Minimum Viable Product), MMP(Minimum Marketable Product), 또는 MLP(Minimum Lovable Product) 중 하나를 선택하여 개발해야 한다. 이 선택이 매우 중요한 이유는 무엇일까? 바로 이 선택이 우리의 현재 전략과 향후 계획을 결정짓기 때문이다.

MVP는 **최소한의 기능**만 갖춘 제품이다. 빠르게 시장에 진입하여 피드백을 받고 싶다면 이 방식이 적합하다. MMP는 **시장에서 판매 가능**한 최소한의 제품을 말한다. 초기부터 수익 창출이 중요하다면 이 방식을 선택할 수 있다. MLP는 사용자가 **사랑**(공감)할 만한 최소한의 제품이다. 사용자 경험과 브랜드 충성도를 중요시한다면 이 방식이 좋다. 이 세 가지 중 어떤 것을 선택하느냐에 따라 우리의 현재 전략이 완전히 달라진다. 마치 역산법처럼, 우리가 꿈꾸는 미래의 모습(비전)과 선택한 제품 유형(MVP/MMP/MLP)에 따라 단기, 중기, 장기 전략이 수립되는 것이다.

PMF 로드맵을 수립하기 위해서는 다음 네 가지가 필수적이다.

· 명확한 비전과 목표 설정 (MVP/MMP/MLP 선택 포함)
· 각 단계별 POC 계획 수립
· 피드백을 받아들이고 빠르게 수정할 수 있는 유연성
· 시장과 고객에 대한 깊은 이해

에피소드

나 역시 이런(MVP/MMP/MLP) 선택의 중요성을 간과했던 적이 있다. 몇 년 전, 플랫폼 서비스를 준비할 때의 일이다. 그 당시 나는 MVP라는 개념만 알고 있었다. MMP나 MLP같은 개념은 알지 못했다. 그래서 나는 MVP를 기준으로 서비스를 개선했다. 최소한의 기능만 갖춘 제품을 빠르게 출시하려 했다. 하지만 실제로 우리 서비스는 MLP를 지향했어야 했다.

결과는 참담했다. 사용자들은 우리 서비스에 큰 관심을 보이지 않았고, 시장에서 빠르게 잊혀졌다. 이 실패를 통해 나는 목표 설정의 중요성과 그에 따른 전략 수립의 필요성을 뼈저리게 깨달았다. 그래도 나는 포기하지 않고 다시 처음부터 시작했다. 이번에는 MLP 개념을 철저히 이해하고, 사용자들이 정말로 사랑할 만한 서비스를 만들기 위해 오랜 시간 준비했다. 마침내 다시 서비스를 오픈했고, 결과는 이전과는 달랐다. 사용자들의 반응은 뜨거웠고, 시장에서도 좋은 평가를 받았다.

결론 및 정리

PMF 로드맵은 단순한 계획표가 아니다. 그것은 우리의 여정을 안내하는 지도이자 등대다. 이 로드맵을 여러분의 나침반으로 삼자. 각 단계마다 POC를 통해 철저히 검증하고, 미래의 모습을 명확히 그리며, 그에 맞는 제품 유형을 선택하고, 그에 따라 전략을 수립하고 실행하자.

8. 소셜 미션

☑ **핵심 포인트**

· 소셜 미션의 정의와 중요성

· 소셜 미션과 기업 미션의 관계

· 소셜 미션 실현을 통한 기업의 성장 전략

· 균형 잡힌 접근의 필요성

소셜 미션이란 사회적 문제를 해결하고자 하는 목표를 가진 활동이나 조직의 방향성을 말한다. 21세기에 들어 기업의 사회적 책임(CSR)에 대한 인식이 높아지면서, 소셜 미션은 기업 경영의 핵심 요소로 부상했다.

소셜 미션의 본질은 **사회적 가치 창출**과 **문제 해결**에 있다. 이는 단순히 경제적 이익을 넘어, 지속 가능한 사회를 위한 변화를 추구한다. 소셜 미션을 수립하기 위해서는 사회적 문제에 대한 깊은 이해와 혁신적인 해결 방안이 필요하다.

경영 매니지먼트 = 기업 미션 + 소셜 미션		
항목	기업 미션	소셜 미션
대상	조직 내부	조직 외부
본질	내부 목표와 가치	외부 목표와 가치
목적	조직의 목표 달성, 경쟁력 강화, 이미지 제고	조직의 사회적 책임 강화, 사회적 가치 창출

첨부된 표에서 볼 수 있듯이, 소셜 미션은 조직 외부를 대상으로 하며 외부 목표와 가치에 중점을 둔다. 이는 조직의 사회적 책임을 강화하고 사회적 가치를 창출하는 것을 목적으로 한다.

소셜 미션은 단순한 '착한 일'이 아니다. 이는 기업의 지속 가능한 성장을 위한 필수 요소다. 소셜 미션은 기업의 평판을 높이고, 고객과의 신뢰를 구축하며, 새로운 비즈니스 기회를 창출할 수 있다. 또한 직원들의 동기 부여와 자부심 향상에도 큰 역할을 한다.

에피소드

파타고니아라는 아웃도어 브랜드를 살펴보자. 이 기업의 소셜 미션은 "우리의 집, 지구를 지키는 사업을 한다"이다. 이에 따라 파타고니아는 환경 보호를 위해 재활용 소재를 사용한 제품을 만들고, 수선 서비스를 제공하며, 매출의 1%를 환경 단체에 기부한다. 이러한 소셜 미션은 단순히 '좋은 일'을 하는 것을 넘어, 브랜드 가치를 높이고 고객 충성도를 높이는 데 큰 역할을 했다.

결론 및 정리

소셜 미션과 기업 미션은 분리된 개념이 아니다. 이 둘은 하나의 동전의 양면과 같다. 둘 다 갖추어야 비로소 온전한 기업이 된다. 초기 단계에서는 기업의 생존을 위해 이윤 추구에 좀 더 집중할 필요가 있다. 하지만 점차 사회 미션의 비중을 늘려가는 것이 바람직하다. 소셜 미션은 단순한 선행이 아니다. 이는 기업의 장기적 생존과 성장을 위한 필수 전략이다. 이를 통해 우리는 더 나은 세상을 만들면서도, 동시에 더 강한 기업으로 성장할 수 있다. 그것이 바로 진정한 의미의 성공이다. 기업이 어떤 사회적 가치를 창출할 수 있을지 깊이 고민해보고, 그것을 비즈니스 모델에 통합시키는 방법을 찾아보자. 그것이 바로 소셜 미션의 시작이며, 지속 가능한 기업으로 가는 첫걸음이다.

9. 기업 미션

☑ **핵심 포인트**

· 기업 미션의 정의와 중요성
· 기업 미션의 4가지 주요 속성
· 기업 미션과 소셜 미션의 균형 필요성
· 지속 가능한 기업을 위한 두 미션의 조화

기업 미션은 조직의 존재 이유와 목적을 밝힌 **선언문**이다. 이는 단순한 문구가 아닌, 조직의 핵심 가치와 방향성을 제시하는 중요한 요소다. 미션은 조직 구성원들의 행동과 의사 결정의 기준이 되며, 경제적 이익을 추구하는 기업 활동의 중심축 역할을 한다.

미션은 네 가지 주요 속성을 지닌다. 첫째, **존재 이유**를 명확히 한다. 둘째, 조직의 **가치관**을 설정한다. 셋째, 조직이 나아가야 할 **목적**을 제시한다. 넷째, 구체적인 **목표**를 설정한다. 이 네 가지 요소가 조화롭게 어우러질 때, 강력한 기업 미션이 탄생한다.

경영 매니지먼트 = 기업 미션 + 소셜 미션		
항목	기업 미션	소셜 미션
대상	조직 내부	조직 외부
본질	내부 목표와 가치	외부 목표와 가치
목적	조직의 목표 달성, 경쟁력 강화, 이미지 제고	조직의 사회적 책임 강화, 사회적 가치 창출

그러나 기업 미션만으로는 충분하지 않다. 우리는 기업 미션과 소셜 미션을 함께 이해하고 추구해야 한다. 기업 미션에만 치중된 조직은 장기적인 관점에서 사회적 가치 창출의 중요성을 간과할 수 있다. 반대로, 소셜 미션에만 집중된 조직은 수익 창출 능력이 약화되어 지속 가능성을 위협받을 수 있다.

에피소드

구글의 미션을 살펴보자. "세상의 정보를 체계화하여 모든 사람이 편리하게 이용할 수 있도록 하는 것"이라는 구글의 미션은 그들의 존재 이유, 가치관, 목적, 그리고 목표를 명확히 보여준다. 이 미션은 구글이 검색 엔진을 넘어 다양한 정보 서비스를 개발하고 제공하는 근간이 되었다.

또 다른 예로, 아마존의 미션 "지구상에서 가장 고객 중심적인 기업이 되는 것"을 들 수 있다. 이 미션은 아마존의 모든 비즈니스 결정과 혁신의 기준이 되었고, 그들이 전자상거래를 넘어 다양한 고객 서비스 영역으로 확장하는 원동력이 되었다.

반면, 과거 많은 기업들이 단순히 이윤 극대화만을 추구하다가 사회적 비난을 받고 기업 이미지가 실추된 사례들도 있다. 또한 소셜 미션만을 강조하다가 재정적 어려움을 겪은 사회적 기업들도 있다. 이는 두 미션 간의 균형이 얼마나 중요한지를 보여준다.

결론 및 정리

기업 미션은 조직의 존재 이유와 방향성을 제시하는 중요한 요소다. 하지만 이에 치중한 나머지 사회적 가치를 간과해서는 안 된다. 반대로 소셜 미션만을 강조하다 경제적 가치 창출을 소홀히 해서도 안 된다.

두 가지 미션의 조화로운 추구, 그것이 바로 지속 가능한 기업의 비결이다. 이는 마치 새의 두 날개와 같다. 한쪽만으로는 날 수 없다. 기업 미션을 통해 조직의 경제적 가치를 창출하고, 소셜 미션을 통해 사회적 가치를 실현하는 것. 이것이 바로 21세기 기업이 추구해야 할 방향이다.

우리는 이 두 가지를 함께 고민하고, 실천해 나가야 한다. 그래야만 진정으로 지속 가능한 기업, 사회에 의미 있는 가치를 창출하는 기업이 될 수 있다. 이것이 바로 우리가 기업 미션을 이해하고 수립할 때 꼭 명심해야 할 점이다.

3 단계: 사업 아이템

10. 페인포인트

☑ 핵심 포인트

페인포인트의 정의

· 고객이 경험하는 불편함이나 문제점

페인포인트의 형태

· 기능적: 제품이나 서비스의 기능상 문제로 인한 불편함
· 감정적: 사용 과정에서 느끼는 부정적 감정

페인포인트의 도출

· 경험형: 고객의 경험과 관찰을 통해 자연스럽게 발견
· 가설형: 특정 고객군을 대상으로 가설을 세우고 검증

혁신과의 차별점

· 페인포인트는 기존 문제의 해결에 초점
· 혁신은 기존에 없던 새로운 가치의 창출에 초점

고객 가치의 추구

· 고객은 페인포인트 해결을 통한 가치와 혁신을 통한 새로운
가치를 모두 추구

페인포인트는 고객이 제품이나 서비스를 사용하면서 경험하는 **불편함**이나 **문제점**을 의미한다. 이는 기능상의 문제로 인

한 불편함인 **기능적 페인포인트**와 사용 과정에서 느끼는 부정적 감정인 **감정적 페인포인트**로 나눌 수 있다.

페인포인트를 도출하는 방법에는 두 가지가 있다. 고객의 경험과 관찰을 통해 자연스럽게 발견하는 **경험형**과 특정 고객군을 대상으로 가설을 세우고 검증하는 **가설형**이 바로 그것이다. 하지만 페인포인트 해결과 혁신은 구분되어야 한다. 페인포인트는 기존 문제의 해결에 초점을 맞추지만, 혁신은 기존에 없던 새로운 가치의 창출에 주력하기 때문이다.

결국 고객은 페인포인트 해결을 통한 가치와 혁신을 통한 새로운 가치, 이 두 가지를 모두 원한다. 자, 그럼 페인포인트와 혁신의 차이, 그리고 고객 가치 추구의 두 가지 방향을 다음 2개의 에피소드 사례를 통해 쉽게 이해해 보자.

에피소드 1: 페인포인트를 가진 창업자의 이야기

민수는 항상 고객의 불편함에 주목하는 예비 창업자였다. 그는 자신의 경험과 주변 사람들의 이야기를 통해 일상생활에서 겪는 문제점들을 꼼꼼히 기록해왔다.

어느 날, 민수는 커피를 사러 가는 길에 문득 아이디어가 떠올랐다. 사람들이 커피를 사러 갈 때마다 긴 줄을 서서 기다

려야 하는 불편함을 겪는다는 것을 알게 된 것이다. (이것이 바로 페인포인트다.)

민수는 즉시 이 문제를 해결할 방법을 고민하기 시작했다. 그의 목표는 간단했다. 사람들이 줄을 서지 않고도 커피를 주문하고 빠르게 받을 수 있게 하는 것. 그렇게 모바일 주문 및 픽업 서비스에 대한 아이디어가 탄생했다. 민수는 자신의 아이디어가 고객들의 일상적 불편함을 해소해줄 것이라 확신했다. 그는 페인포인트를 해결하는 것이 창업의 핵심이라고 믿었다.

에피소드 2: 혁신 아이디어를 가진 창업자의 이야기

영희는 늘 새로운 것에 도전하는 열정적인 예비 창업자였다. 그녀는 기존의 제품이나 서비스에 만족하지 않고, 늘 새로운 가치를 창출할 방법을 고민했다. 영희는 최근 반려동물 시장에 주목하고 있었다. 바쁜 현대인들이 늘어나면서 반려동물과 함께 하는 시간이 부족해진 것을 알게 되었다. 그녀는 여기서 새로운 기회를 찾았다.

영희의 아이디어는 혁신적이었다. 반려동물을 위한 실시간 화상 챗 서비스. 집을 비울 때도 스마트폰으로 반려동물과 소통하고, 먹이를 줄 수 있게 하는 서비스였다. 이는 단순히 기존의 불편함을 해소하는 차원을 넘어, 반려동물과의 새로운 소통 방식을 제안하는 것이었다. 영희는 자신의 서비스가 새로운 가치를 창출할 것이라 믿었다. 그녀에게 창업이란 기존의 문제를 해결하는 것을 넘어, 고객에게 새로운 경험을 제공하는 것이었다.

결론 및 정리

민수와 영희, 두 창업자는 서로 다른 접근 방식을 가지고 있었다. 민수는 페인포인트 해결에, 영희는 혁신적 가치 창출에 초점을 맞추었다. 이 두 접근법은 각각 다른 로드맵과 전략을 필요로 한다. 그러나 결국 두 접근법 모두 고객에게 가치를 전달하는 것을 목표로 한다. 고객은 때로는 불편함의 해소를, 때로는 새로운 경험을 원한다. 따라서 창업자는 자신의 제품이나 서비스가 어떤 방식으로 고객에게 가치를 전달할 것인지 명확히 이해하고, 그에 맞는 전략을 수립해야 한다.

페인포인트 해결과 혁신적 가치 창출은 서로 다른 길이지만, 둘 다 고객 가치 창출이라는 같은 목적지를 향해 간다. 창업자는 이 두 접근법 중 하나를 선택하거나, 때로는 둘을 적절히 결합하여 고객의 다양한 니즈에 대응할 수 있어야 한다.

11. 아이디어

☑ **핵심 포인트**

· 아이디어: 새로운 사업 기회를 제시하는 독창적이고 실행 가능한 개념
· 아이디어의 특징: 고객 중심, 독창성, 실현 가능성, 지속 가능성
· 아이디어 도출 방법론: 브레인스토밍 + SCAMPER
· 아이디어 발굴 방법: 관찰, 경쟁자 분석, 경험, 네트워킹, 트렌드 분석
· '아이디어', '사업 아이디어', '아이템', '사업 아이템'의 개념과 차이점을 인식하는 것은 매우 중요함

아이디어는 새로운 사업 기회를 제시하는 독창적이고 실행 가능한 개념이다. 성공적인 아이디어가 되기 위해서는 고객 중심, 독창성, 실현 가능성, 지속 가능성을 갖춰야 한다. 이러한 요소들이 조화롭게 어우러질 때, 아이디어는 비로소 가치 있는 사업 기회로 발전할 수 있다. '아이디어', '사업 아이디어', '아이템', '사업 아이템'은 밀접하게 연관되어 있지만, 각

각 고유한 의미를 지닌다. 이해를 돕기 위해 각 개념을 자세히 살펴보자:

· 아이디어: 창의적이거나 혁신적인 발상

· 사업 아이디어: 비즈니스 목표 달성을 위한 구상

· 아이템: 구체적인 제품이나 서비스

· 사업 아이템: 시장 출시 준비가 된 구체적인 아이템

아이디어의 궁극적 목표는 **사업 아이템 수립**이다. 이 과정에서 **페인포인트, 아이디어, 설루션을 함께 고려**해야 한다. 페인포인트는 고객이 겪는 문제나 불편함을 의미하며, 이를 정확히 파악하는 것이 중요하다. 아이디어는 이 페인포인트를 해결하기 위한 창의적 발상이며, 설루션은 그 아이디어를 구체화한 해결책이다. 여기에 더해 소셜 미션까지 녹여내야 한다. 이는 단순히 이윤 추구를 넘어 사회적 가치를 창출하고자 하는 기업의 목표를 의미한다. 이러한 요소들을 종합하면 다음과 같은 공식이 성립한다:

"아이템 + 시장성 + 소셜 미션 = 사업 아이템"

아이디어가 쉽게 떠오르지 않는다면, 페인포인트 및 설루션에 집중해 보는 것도 좋은 방법이다. 실제 문제와 그 해결책

에 초점을 맞추다 보면, 자연스럽게 혁신적인 아이디어가 도출될 수 있기 때문이다.

아이디어 도출을 위해서는 다양한 방법론을 활용할 수 있다. 그 중에서도 브레인스토밍과 SCAMPER를 결합한 방식이 특히 효과적이다. 브레인스토밍은 자유로운 아이디어 발산을, SCAMPER는 체계적인 아이디어 변형을 가능케 한다. 이 두 방법론의 시너지 효과로 더욱 창의적이고 실용적인 아이디어를 얻을 수 있다. 브레인스토밍 및 SCAMPER에 대한 자세한 내용은 '브레인스토밍' 장에서 확인할 수 있으니, 꼭 참고해보기 바란다.

이 외에도 아이디어 발굴을 위해 관찰, 경쟁자 분석, 경험, 네트워킹, 트렌드 분석 등 다양한 방법을 활용할 수 있다. 각 방법은 서로 다른 관점에서 아이디어를 발굴할 수 있게 해주므로, 상황에 따라 적절히 활용하면 좋다.

무엇보다 아이디어 수립 시 가장 중요한 것은 시장성과 시장 규모를 고려하는 것이다. 아무리 혁신적인 아이디어라도 시장에서 받아들여지지 않는다면 의미가 없기 때문이다. 이를 위해 PESTLE(Political(정치적), Economic(경제적), Social(사회적), Technological(기술적), Environmental(환경적), Legal(법적)) 분석 도구를 함께 활용하여 아이디어의 실현 가능성과 잠재력을 복합적으로 평가해야 한다. PESTLE 분석은 아이디어를 둘러

싼 거시적 환경을 종합적으로 파악할 수 있게 해준다.

결국, 아이디어 수립은 페인포인트, 설루션, 시장성, 시장 규모, 소셜 미션 등 모든 요소를 동시다발적으로 고려해야 하는 복합적인 과정이다. 이 모든 요소들이 유기적으로 연결되어 조화를 이룰 때, 비로소 올바른 사업 아이템이 수립될 수 있다. 이는 마치 퍼즐을 맞추는 것과 같아서, 각 요소들이 서로 맞물려 전체 그림을 완성할 때 진정한 가치를 지닌 사업 아이템이 탄생하는 것이다.

에피소드 1

한 스타트업 팀이 '도시 농업'이라는 주제로 새로운 비즈니스 모델을 찾고 있었다. 그들은 브레인스토밍과 SCAMPER를 결합한 방법을 사용하기로 했다. 먼저, 브레인스토밍 세션을 통해 다양한 아이디어를 쏟아냈다:

· 옥상 정원
· 수직 농장
· **실내 허브 재배기**
· 스마트 화분

이 중에서 '**실내 허브 재배기**'에 주목하기로 했다. 그 다음, SCAMPER 기법을 적용했다:

- Substitute(대체): 흙 대신 수경재배 방식을 사용하면 어떨까?

- Combine(결합): 재배기에 IoT 기술을 결합하면 어떨까?

- Adapt(응용): 주방 가전제품처럼 디자인하면 어떨까?

- Modify(수정): 크기를 작게 만들어 책상 위에 놓을 수 있게 하면 어떨까?

- Put to another use(다른 용도로 사용): 허브 외에 다른 작은 채소도 재배할 수 있게 하면 어떨까?

- Eliminate(제거): 복잡한 조작 없이 자동으로 작동하게 하면 어떨까?

- Reverse(뒤집기): 재배기가 아래가 아닌 위에서 물을 공급하면 어떨까?

이 과정을 통해 팀은 '스마트 미니 실내 농장'이라는 아이디어를 발전시켰다. IoT 기술을 활용해 자동으로 물과 영양분을 공급하고, 스마트폰으로 관리할 수 있는 컴팩트한 디자인의 제품이었다.

이 아이디어를 가지고 다시 브레인스토밍을 진행하여 마케팅 전략, 타겟 고객, 가격 정책 등을 구체화했다. 결과적으로, 이 팀은 도시 농업과 스마트 홈 트렌드를 결합한 혁신적인 제품 아이디어를 얻을 수 있었고, 이는 후에 성공적인 크라우드 펀딩으로 이어졌다.

에피소드 2

몇 년 전, 내가 멘토링했던 한 스타트업 팀이 있었다. 이 팀은 혁신적인 '아이디어'를 가지고 있다며 자신만만하게 찾아왔다. 그들이 말한 아이디어는 사실 이미 구체화된 '아이템'에 가까웠다. 문제는 여기서 시작됐다. 팀원들 사이에서 '아이디어'와 '아이템'의 개념이 혼용되면서, 각자가 생각하는 프로젝트의 진행 단계와 목표가 달랐던 것이다.

결과적으로 이 팀은 제품 개발 단계에서 심각한 의견 충돌을 겪었고, 결국 팀이 와해되는 상황까지 이르렀다. 만약 그들이 처음부터 '아이디어'와 '아이템'의 차이를 명확히 인식하고 있었다면, 이런 불필요한 갈등은 피할 수 있지 않았을까?

결론 및 정리

아이디어 도출은 창업의 첫 단계지만 그것만으로는 충분하지 않다. 체계적인 방법론을 통해 아이디어를 발전시키고, 이를 바탕으로 페인포인트와 설루션, 그리고 사회적 가치를 고려한 종합적인 접근이 필요하다.

우주에서 작은 1° 차이가 시작은 미미해 보이지만, 멀리 갈수록 크게 벌어지는 것처럼, 개념에 대한 작은 인식 차이도 시간이 지날수록 큰 문제가 될 수 있다. 따라서 창업 관련 용어들의 정확한 이해와 적용이 성공적인 창업의 기본이 된다. 이러한 과정을 통해 우리는 단순한 아이디어를 넘어 실현 가능하고 가치 있는 사업 아이템으로 발전시킬 수 있을 것이다.

요소		역할	질문	의미	비고
아이템	페인포인트	원인	WHY	문제의 원인은 무엇인가?	동시 다발 수립
	아이디어	매개체	WHAT	무엇을 만들 것인가?	
	설루션	목적	HOW	문제를 어떻게 해결할 것인가?	

☑ 여기서 잠깐!

※ 전체 프로세스를 다시 한번 조망해 보자. 여기서 문제 정의는 페인포인트 혹은 혁신 아이디어 구성 단계이다.

단계	1 Step		2 Step	3 Step	4 Step	5 Step	6 Step	7 Step	8 Step
	문제 정의		기획 (컨셉팅)		개발 및 검증			고객 검증	고객피드백 (Pivot)
	가설	경험							
항목	브레인 스토밍		아이디어 + 설루션 (Solution)	아이템 (POC)	아이템 (컨셉)	프로토타입 (Pre)	프로토타입 (시제품)	프로토타입 (POC)	MVP / MMP / MLP
방법론	디자인 씽킹								Lean Canvas
	마인드맵, SCAMPER			가치 제안 캔버스					

12. 해결 방안(solution)

☑ 핵심 포인트

· 설루션: 문제 해결 방안
· 페인포인트(WHY), 아이디어(WHAT), 설루션(HOW)의 상호 관계
· 아이템: 페인포인트, 아이디어, 설루션의 결합
· 설루션의 특징: 고객 중심, 차별성, 가치 제공, 지속 가능성

설루션(Solution)은 '해결책' 또는 '해법'을 의미하며, 문제 해결 방안을 뜻한다. 여기서 페인포인트는 WHY(원인), 아이디어는 WHAT(매개체), 설루션은 HOW(목적)에 해당한다.

이 세 요소의 관계를 표로 정리하면 다음과 같다:

요소		역할	질문	의미	비고
아이템	페인포인트	원인	WHY	문제의 원인은 무엇인가?	동시 다발 수립
	아이디어	매개체	WHAT	무엇을 만들 것인가?	
	설루션	목적	HOW	문제를 어떻게 해결할 것인가?	

설루션은 독립적으로 수립할 수 없으며, 아이디어나 페인포인트와 함께 고려해야 한다. 아이디어 수립이 어렵다면 설루션과 페인포인트에, 설루션 수립이 어렵다면 페인포인트와 아이디어에 집중해 보는 것도 수립에 도움이 된다.

에피소드

몇 년 전, 내가 멘토링했던 한 스타트업 팀이 혁신적인 교육 앱을 개발하고 있었다. 그러나 그들의 설루션은 실제 교육 현장의 페인포인트와 동떨어져 있었다. 학교와 학생들을 직접 방문해 관찰하고 인터뷰한 후, 그들은 완전히 다른 아이디어를 가지고 돌아왔다. 실제 페인포인트를 파악하고 나니, 진정으로 필요한 설루션을 개발할 수 있었고, 결과적으로 시장에서 큰 호응을 얻었다.

결론 및 정리

성공적인 설루션은 명확한 문제 정의에서 시작한다. 초기 창업자들은 페인포인트, 아이디어, 설루션의 상호 관계를 이해하고 균형 있게 접근해야 한다. 이 세 요소를 동시에 고려하며 아이템을 발전시켜 나가야 하며, 고객의 니즈를 지속적으로 확인하고 시장 상황을 분석하며 자신의 아이디어를 끊임없이 검증해야 한다. 페인포인트를 정확히 파악하고, 창의적인 아이디어를 통해 효과적인 설루션을 개발하는 것이 창업의 핵심이다.

13. 가치 전달

가치 전달이란 제품이나 서비스를 통해 고객에게 의미와 경험을 전하는 과정을 말한다. 이는 단순히 물건이나 서비스를 제공하는 것을 넘어, 그 안에 담긴 무형의 가치를 함께 전달하는 것을 의미한다.

이러한 가치 전달은 무형의 가치(의미, 의도, 진정성 등)와 유형의 매개체(제품, 서비스 등)가 조화롭게 결합될 때 가장 효과적으로 이루어진다. 비즈니스에서 이 원리를 적용할 때, 우리는 고객에게 단순한 상품이 아닌 감동과 공감을 줄 수 있는 총체적 경험을 제공해야 한다. 고객의 입장에서는 단순한 NEEDS 충족을 넘어 WANTS가 더 큰 공감 요소가 된다. 따라서 우리는 고객의 깊은 욕구를 이해하고, 이에 부합하는 가치를 전달해야 한다. 이를 위해서는 무형의 가치와 유형의 매개체 사이의 균형을 찾는 것이 중요하다.

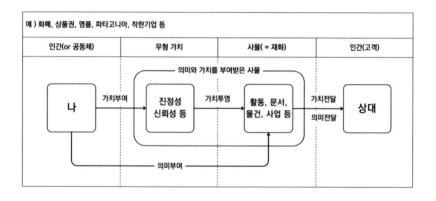

가치 전달 프로세스는 '나'에서 시작해 '상대'로 끝나는 과정이다. 이 과정에서 무형의 가치(진정성, 신뢰성 등)와 유형의 사물(활동, 문서, 물건, 사업 등)이 어우러져 최종적으로 상대에게 전달된다. 이는 단순히 물건을 전달하는 것이 아니라, 그 안에 담긴 **의미**와 **가치**까지 **함께 전달**되어야 함을 강조한다.

에피소드

연인 사이에서 물질적인 선물 없이 마음만을 전하려 했다가 오해를 사는 경우를 생각해 보자. 눈에 보이지 않는 가치는 매우 중요하지만, 그것을 표현할 유형의 매개체 또한 필요하다는 것을 보여준다. 반면, 영화를 보고 나서 비싼 가격임에도 관련 굿즈를 구매하는 경우를 생각해 보자. 이는 영화(물질)를 통해 받은 감동과 여운이 실제 구매로 이어진 예다.

결론 및 정리

가치 전달은 무형의 의미와 유형의 매개체가 조화롭게 결합될 때 가장 효과적으로 이루어진다. 우리가 제공하는 재화나 서비스는 단순한 물건이나 행위 이상의 것이어야 하며, 그 안에는 우리의 진정성, 신뢰, 그리고 고객을 향한 깊은 이해가 담겨 있어야 한다. 이러한 균형 잡힌 접근법은 고객과의 깊은 공감대를 형성하고 지속적인 관계를 구축하는 데 핵심적인 역할을 한다. 우리가 제공하는 것이 단순한 제품이나 서비스가 아닌, 의미 있는 경험과 가치라는 점을 항상 명심해야 한다. 이것이 바로 진정한 가치 전달의 본질이며, 성공적인 비즈니스의 근간이 된다.

14. Pre-프로토타입

☑ 핵심 포인트

· Pre-프로토타입의 정의와 필요성
· Pre-프로토타입 단계의 주요 방법론
· Pre-프로토타입과 프로토타입의 관계
· Pre-프로토타입 단계의 이점

Pre-프로토타입은 본격적인 프로토타입 개발 전 수행하는 단계로, 사용자 피드백을 기반으로 UI 및 요구사항을 분석하며 제품 컨셉팅을 수행한다. 이 과정은 제품 또는 서비스의 사용자 상호작용과 기능을 결정하는 중요한 역할을 한다.

많은 스타트업이 완성형 프로토타입 제작에 바로 뛰어들지만, 리스크 최소화와 안정적인 컨셉 수립을 위해 **완충 단계**가 필요하다. 비행기의 연착륙처럼, 사업 아이템도 안정적인 착륙 과정이 요구되는 것이다.

Pre-프로토타입 단계에서는 다양한 방법론을 활용한다:

· 스케치: 컨셉을 시각화
· 와이어 프레임: UI/UX 구조 설계
· **3D 모델링: 가상 모델 제작**
· 페이퍼 모델링: 물리적 모형 제작
· 기능 요약 시트: 핵심 기능 문서화
· 컨시어지: 수작업 샘플 제공
· **랜딩 페이지: 온라인 홍보 페이지 제작**
· **브로슈어/영상: 시각적 자료 제작**
· **AI를 활용한 샘플 제작(GPT, 미드저니, Framer 등)**

이 단계는 프로토타입 시제품 개발 전 수행 단계이며, 고객 니즈를 정확히 파악하여 불필요한 개발을 통해 시행착오를 방지하는 것을 목적으로 한다.

에피소드

유명 모 기업의 대표는 다음과 같은 경험을 공유했다:

"우리는 MVP를 목표로 프로토타입을 만들었지만, 고객 니즈를 찾지 못해 여러 번 수정을 거듭했습니다. 플랫폼 앱 개발에 몇 억을 투자했지만, 결과적으로 피벗해야 했죠. 이 경험을 통해 프로토타입 전 단계의 중요성을 깨달았습니다. 이제는 완성형의 3D 모델이나 홈페이지, 영상, 브로슈어 등을 먼저 만들어 고객 반응을 보고, 그 후에 프로토타입 개발에 착수합니다. 이 방식으로 리스크와 투자 비용을 크게 줄일 수 있었습니다."

결론 및 정리

Pre-프로토타입 단계는 스타트업의 성공적인 제품 개발을 위한 핵심 과정이다. 이를 통해 얻을 수 있는 이점은 다음과 같다:

· 리스크 최소화
· 비용 절감
· 고객 중심 개발
· 유연한 대응
· 투자 유치 용이

이 단계를 거치면 아이디어와 현실의 괴리를 파악하고, 시장에 더 적합한 제품을 개발할 수 있다. Pre-프로토타입 단계는 시간과 비용의 투자가 아닌, 미래를 위한 현명한 준비 과정이다. 스타트업의 성공 확률을 높이기 위해, 이 단계를 반드시 거칠 것을 권장한다.

15. 비교분석

☑ **핵심 포인트**

· 비교분석: 서비스/제품의 경쟁 위치 파악 도구, BMT(Benchmarking Test)로도 불림
· 목적: 경쟁자와 자사 서비스의 장단점/차별점 파악, 발전 방향과 개선점 도출
· 주요 활용: 사업계획서, 기획서 작성 시 경쟁 우위 명확히 표현
· 핵심 기능: 자사 서비스의 강점 부각, 경쟁자 대비 우위 드러내기
· 본질: 복잡해 보이나 간단한 방법, 객관적 시각으로 자사 서비스 평가
· 효과: 시장 이해 깊이 증진, 서비스/제품 개선 기회 발견, 창업 아이디어 강화
· 의의: 단순 경쟁 도구 아닌 서비스 개선/발전 기여하는 유용한 도구

비교 분석표 작성 시 두 가지를 기억해야 한다. 첫째, 사람의 시선 이동을 고려해 자사 서비스를 **좌측 상단**에 배치한다. 둘째, 결과를 **직관적**으로 표현한다. **O/X 형태**로 가독성을 높

이거나 **핵심 키워드**로 전문성을 강화하는 방법이 있다.

	MY	B사	C사
OO 기능	O	X	O
OO 서비스	O	X	X
OO 유무	O	O	O

비교분석의 강점은 객관적 시각으로 자사 서비스를 평가할 수 있다는 점이다. 경쟁사와 비교해 우리의 강점을 명확히 인식하고, 이를 마케팅에 활용할 수 있다. 반면, 단점은 경쟁사 정보수집의 어려움과 시장 변화에 따른 빠른 업데이트 필요성이다. 또한, 객관성 유지가 쉽지 않아 자사에 유리한 방향으로 편향될 수 있다.

이를 보완하기 위해 다음 방법을 사용할 수 있다. 첫째, 정기적인 시장조사로 최신 정보를 유지한다. 둘째, 고객 피드백을 적극 반영해 실제 사용자 관점을 포함한다. 셋째, 외부 전문가의 의견을 구해 객관성을 확보한다.

에피소드

새로운 피트니스 앱을 개발했다고 가정해보자. 비교분석을 통해 기존 앱들과 대비해 사용자 맞춤형 운동 계획 제공이나 실시간 트레이너 상담 기능 등의 차별점을 부각할 수 있다. 이러한 접근은 다양한 분야에 적용 가능하다. 예를 들어, 새로운 배달 앱을 만든다면 기존의 배달의 민족, 요기요 등과 비교해 어떤 특징이 있는지, 어떤 점에서 차별화되는지를 명확히 할 수 있다.

비교분석의 효과는 단순히 차이점을 나열하는 것에 그치지 않는다. 이는 마치, 한때 유행했던 '얼굴 몰아주기' 전략과 유사하다. 주변 인물들을 의도적으로 일 그려 뜨려 주인공을 돋보이게 하는 것처럼, 비교분석은 경쟁사와의 대비를 통해 자사 서비스의 강점을 효과적으로 부각한다. 이를 통해 고객들은 우리 서비스의 독특한 가치를 더욱 선명하게 인식할 수 있게 된다.

결론 및 정리

비교분석은 단순히 경쟁자를 이기기 위한 도구가 아니다. 시장을 더 깊이 이해하고, 자신의 서비스나 제품을 개선할 기회를 찾는 과정이다. 이를 통해 예비 창업자들은 자신의 아이디어를 더욱 견고히 하고, 시장에서의 성공 가능성을 높일 수 있다. 결국 비교분석은 우리 서비스를 빛나게 하는 유용한 도구로, 서비스 개선과 발전에 크게 기여한다.

16. 핵심 가치

☑ 핵심 포인트

· 핵심 가치: 창업의 근간, 기업의 존재 이유와 의사결정 기준
· 가치란?: 사물의 중요성, 경제적 가치, 인간 욕구 충족
· 스타트업 핵심 가치: 기업 정체성 표현, 내부/외부 가치 포함
· 중요성: 의사결정 기준, 팀 결속, 고객 신뢰, 차별화 요소
· 수립과 실천: 창업 동기, 문제 해결, 팀 가치관, 고객 요구 이해

핵심 가치는 기업의 정체성을 나타내는 근본적인 믿음이자 철학이다. 이는 마치 사람의 성격과 같아서, 기업의 모든 행동과 결정에 영향을 미친다. 예를 들어, '혁신'을 핵심 가치로 삼은 애플은 항상 새로운 제품을 선보이며 시장을 선도한다.

핵심 가치는 팀 내부의 가치와 고객에게 주는 외부적 가치로 나뉘는데, 이 둘은 동전의 양면과 같다. 구글의 '사용자 중심' 가치는 직원들의 업무 방식을 결정하고, 동시에 사용자 친화적인 제품으로 이어진다.

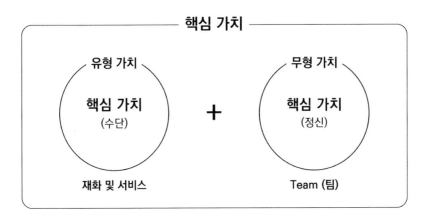

핵심 가치를 수립하는 과정은 마치 등산을 준비하는 것과 같다. 왜 오르려 하는지(창업 동기), 어떤 산을 오를지(해결할 문제), 누구와 함께 갈지(팀 가치관), 필요한 장비는 무엇인지(고객 니즈) 등을 철저히 준비해야 한다.

실천 방법도 다양하다. 파타고니아는 환경 보호라는 핵심 가치를 직원 교육부터 제품 개발, 마케팅까지 모든 영역에 반영한다. 심지어 "필요하지 않다면 사지 마세요"라는 광고로 화제가 되기도 했다.

기업이 성장할수록 핵심 가치는 더욱 중요해진다. 마치 커다란 배의 방향타와 같아서, 규모가 커져도 올바른 방향을 잃지 않게 해준다. 스타벅스가 빠른 성장 속에서도 '인간 중심'

이라는 가치를 지키며 직원 복지에 힘쓰는 것이 좋은 예다. 결국, 핵심 가치를 세우고 실천하는 과정은 퍼즐을 맞추는 것과 같다. 모든 조각이 제자리를 찾아 전체 그림을 완성할 때, 기업은 진정한 의미와 지속가능한 성장을 이룰 수 있다. 이는 단순한 이윤 추구를 넘어, 사회에 긍정적인 영향을 미치는 힘이 된다.

에피소드 1

햇살 따스한 봄날, 초등학교 단짝 친구인 지수와 은영이 소풍을 갔다. 잔디밭에 앉아 도시락을 먹으며 즐거운 시간을 보냈다. 두 친구의 도시락은 비슷해 보였다. 샐러드, 과일, 햄이 먹음직스럽게 담겨 있었고 맛도 좋았다. 하지만 집으로 돌아가는 길, 두 친구의 기분은 달랐다. 지수는 행복했지만, 은영은 우울해 보였다. 그 이유는 도시락에 있었다. 지수 엄마는 매일 아침 정성껏 도시락을 준비하고 사랑의 쪽지도 넣어주었다. 지수를 보낼 때는 따뜻하게 안아주기까지 했다. 반면 은영 엄마는 바쁘다며 사 온 도시락을 건네고 용돈만 주고 통명스레 보냈다. 은영에겐 그 도시락이 아무리 맛있어도 맛없게 느껴졌다. 그저 **엄마의 따뜻한 말 한마디와 손수 만든 도시락**이 그리울 뿐이었다.

에피소드 2

<table>
<tr><td colspan="6" align="center">여행</td></tr>
<tr><td colspan="2" align="center">구분</td><td align="center">운전자</td><td align="center">수단</td><td align="center">승객</td></tr>
<tr><td rowspan="2" align="center">외부</td><td align="center">목적</td><td align="center">② 방향 / 목적</td><td align="center">④ 승용차 or 캠핑카</td><td rowspan="2" align="center">⑤
안전
운전

투어</td></tr>
<tr><td align="center">정적</td><td align="center">투영
운전 역량
운전 태도
대처 능력
①</td><td align="center">반영
휘발유 or 경유
③</td></tr>
</table>

쉬운 이해를 돕기 위해 여행을 예로 들어보자. 여행에는 자동차, 연료, 운전자, 목적지 등 여러 요소가 필요하다. 이 모든 요소가 조화롭게 어우러져야 비로소 여행이 완성되는 것처럼, 기업의 핵심 가치도 내부 가치와 외부 가치, 그리고 고객에게 전달하고자 하는 메시지가 **하나**가 되어야 완성된다. 핵심 가치가 중요한 이유는 여러 가지다.

첫째, 중요한 결정을 내릴 때 기준이 된다.

둘째, 팀원들을 하나로 묶어준다.

셋째, 고객과의 신뢰를 쌓는다.

넷째, 경쟁사와 차별화할 수 있다.

결론 및 정리

핵심 가치는 기업 성장에 따라 더욱 중요해진다. 이는 초심을 지키고, 새로운 도전의 지침이 된다. 결국 **핵심 가치란 제품이나 서비스를 통해 기업의 철학을 고객에게 전달하는 것**이다. 이는 내부와 외부 가치가 조화롭게 어우러진 하나의 통합체다. 창업자들은 이를 중심으로 비즈니스 모델을 만들고, 팀을 꾸리며, 고객과 소통해야 한다. 그래야 단순한 이윤 추구를 넘어 진정으로 의미 있는 기업을 만들 수 있을 것이다.

17. 프로토타입

☑ 핵심 포인트

· 프로토타입: 혁신의 실체화 과정
· 프리-프로토타이핑과 프로토타입 단계 이해
· 다양한 프로토타입 제작 도구: 3D프린터, 실물모형, 로우-코드,
노-코드 등
· MVP, MMP, MLP: 프로토타입의 목적 설정
· 사용자 니즈와 팀의 의도 사이의 균형 유지
· 지속적인 사용자 피드백 반영의 중요성
· 프로토타입을 통한 리스크 최소화와 품질 향상

프로토타입 제작은 스타트업의 혁신 여정에서 핵심적인 단계
다. 이는 마치 조각가가 거친 돌덩이에서 예술 작품을 만들
어내는 과정과 유사하다. 프로토타입 제작은 크게 프리-프로
토타이핑과 본격적인 프로토타입 제작으로 나뉜다.

Pre-프로토타이핑은 본격적인 제작에 앞서 고객 반응을 가볍

게 테스트하는 단계다. 이는 마치 요리사가 본 요리 전에 시식을 하는 것과 같다. 이 과정을 통해 프로토타입 제작의 리스크를 크게 줄일 수 있다. 본격적인 프로토타입 단계에서는 다양한 도구와 기술을 활용한다:

· 3D프린터: 저예산으로 제품 디자인 정보를 바탕으로 입체 물체를 3차원으로 인쇄하는 기술.

· 실물모형(Mock-up): 디자인 검증과 사용성 테스트를 위한 제품 외관, 크기, 형태 구현 모형.

· 로우-코드(Low-Code): 간단한 기능을 구현하는 플랫폼과 도구, 개발 위험도 낮춤. (최근에는 AI를 함께 활용한다.)

· 노-코드(No-Code): 드래그 앤드 드롭으로 앱 개발이 가능한 플랫폼. (최근에는 AI를 함께 활용한다.)

· 종이 프로토타입: 아이디어를 빠르고 저렴하게 시각화하는 스케치나 종이 모형.

· 디지털 프로토타이핑 도구: Adobe XD, Figma, Sketch로 인터페이스와 사용자 경험 설계.

· API 모킹 도구: Postman, Swagger로 백엔드 API 시뮬레이션, 프론트엔드 개발 병행. (최근에는 AI를 함께 활용한다.)

· VR/AR 도구: Unity, Unreal Engine으로 몰입형 경험 제작, 공간 기반 제품/서비스에 유용.

이러한 다양한 도구들은 각각의 장단점이 있으며, 프로젝트의 특성과 목적에 따라 적절히 선택하여 활용해야 한다. 그러나 도구의 선택 못지않게 중요한 것은 프로토타입 제작의 목적을 명확히 하는 것이다. 이는 프로토타입이 단순히 기술적 구현에 그치지 않고, 실제 비즈니스 가치를 창출할 수 있도록 하는 핵심 요소다.

이러한 맥락에서, 프로토타입의 목적을 정의하는 세 가지 주요 접근법이 있다. MVP(Minimum Viable Product)는 '생존'에 초점을 맞추고, MMP(Minimum Marketable Product)는 '판매 가능성'에, MLP(Minimum Lovable Product)는 '고객의 애정'에 중점을 둔다. 예를 들어, 혁신적인 스마트워치를 개발한다고 가정해보자. MVP는 시간 표시와 기본적인 건강 모니터링(예: 걸음 수 측정) 기능만을 포함할 것이다. 이는 제품의 핵심 가치를 검증하기 위한 최소한의 기능이다. MMP는 여기에 알림 기능과 간단한 운동 트래킹을 추가하여, 시장에서 경쟁력 있는 최소한의 기능을 갖춘다. 이는 실제로 고객들이 구매할 만한 가치를 느낄 수 있는 수준이다. 반면 MLP는 고급 건강 모니터링(예: 심전도 측정, 수면 분석), AI 기반 개인 건강 코칭, 독특한 사용자 인터페이스 등을 포함하여 고객들이 '꼭 갖고 싶어 하는' 혁신적인 제품의 모습을 구현한다.

이처럼 각 접근법은 제품 개발의 목적과 단계에 따라 다른 수준의 기능과 완성도를 요구한다. 스타트업은 자신의 비즈니스 모델과 시장 상황에 맞는 적절한 접근법을 선택해야 한다.

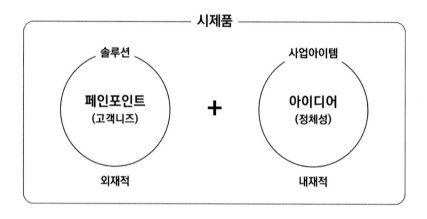

결국, 프로토타입 제작 과정에서 가장 중요한 것은 **균형**이다. **사용자의 니즈**와 **팀의 의도** 사이에서 절묘한 균형을 이루어야 한다. 이는 마치 타이트로프를 걷는 곡예사와 같다. 한쪽으로 치우치면 균형을 잃고 추락하게 된다.

에피소드

한 스타트업이 혁신적인 스마트 워치를 개발하고 있었다. 초기에 그들은 자신들의 기술력을 과신하여 고객의 목소리를 무시했다. 결과적으로 첫 프로토타입은 기술적으로는 뛰어났지만, 사용자 경험은 형편없었다. 이를 깨달은 팀은 방향을 전환했다. 그들은 MLP 접근법을 채택하고, 사용자 피드백을 적극적으로 수용하기 시작했다. 3D 프린팅으로 다양한 디자인을 빠르게 테스트하고, 로우-코드 플랫폼을 활용해 인터페이스를 지속적으로 개선했다.

결과는 놀라웠다. 최종 제품은 기술적 혁신과 사용자 친화성을 모두 갖추게 되었고, 출시 직후부터 큰 인기를 얻었다. 이 사례는 프로토타입 과정에서의 균형과 지속적인 사용자 피드백의 중요성을 잘 보여준다.

결론 및 정리

프로토타입 제작은 단순한 기술적 과정이 아니다. 그것은 혁신의 씨앗을 현실로 만들어내는 창조의 과정이며, 동시에 사용자의 니즈와 팀의 비전 사이에서 균형을 잡는 예술이다. 다양한 도구와 기술을 활용하여 우리의 아이디어를 실체화하고, MVP, MMP, MLP 중 적절한 목표를 설정하여 방향성을 잡는다. 그리고 이 모든 과정에서 지속적으로 사용자의 피드백을 수용하고 반영해야 한다.

이러한 균형 잡힌 접근은 제품 개발의 리스크를 최소화하고, 제품의 품질을 높이는 데 큰 도움이 된다. 이것이 바로 체계적인 제품 또는 서비스 개발 방법론의 핵심이다.

프로토타입은 우리의 아이디어가 현실과 만나는 첫 순간이며, 이를 통해 우리는 혁신의 실체를 처음으로 만져볼 수 있게 된다. 이 과정을 통해 우리는 단순한 제품이 아닌, 사용자의 삶을 변화시키는 진정한 혁신을 만들어낼 수 있다.

☑ 여기서 잠깐!

프로토타입 설계 전, 우리는 비전, 소셜 미션, 기업 철학 등 '숲'을 파악한 후 MVP, MMP, MLP 중 하나를 선택해야 함을 배웠다. 하지만 이 세 가지에 속하지 않는 경우도 있을 수 있다. 사실 MUP, MSP, MDP, MRP, MAP, MEP 등 다양한 접근법이 존재한다. 그럼에도 MVP, MMP, MLP를 중심으로 설명하는 이유는 이들이 대표적인 큰 범주이기 때문이다. 예비 창업자의 이해를 돕기 위해 이 세 가지를 기준으로 삼되, 실제 적용 시에는 고객 피드백을 통해 지속적으로 개선하면서 필요하다면 다른 접근법으로 피벗할 수 있음을 기억하자. 이는 단순화를 위한 것이며, 실제 상황에 맞게 유연하게 적용해야 한다.

18. 가격설정

☑ 핵심 포인트

· 가격 설정은 스타트업의 성패를 좌우하는 핵심 요소

· "언제"와 "어떻게" 가격을 설정할지가 핵심 질문

· 프로토타입, POC, 피벗 과정을 거쳐 제품 완성

· 실제 가격 설정 시 고객 반응은 180도 변할 수 있음

· 제품(생산자 관점)과 상품(고객 관점)의 차이 이해 필요

· 17가지 핵심 고려사항을 종합적으로 판단하여 가격 설정

· 지속적인 시장 이해와 고객 소통을 통한 유연한 전략 필요

가격 설정은 많은 스타트업이 시제품 준비 후 직면하는 가장 어려운 과제 중 하나다. 나 역시 다양한 프로젝트를 진행하면서 이 단계에서 항상 많은 시간을 할애했다. 솔직히 말해 지금도 여전히 어려운 과제다. 가격 설정이 이토록 난해한 이유는 분야별로 상황이 다르고, 정해진 방법이 없기 때문이다. 한마디로, 정답이 없는 셈이다.

그럼에도 불구하고 '가격 설정'이라는 주제를 다루고자 하는 이유는 두 가지다. 첫째, 프로토타입 이후 과정에서 매우 중요한 단계이기 때문이다. 둘째, 예비 창업자들의 시행착오를 조금이라도 줄이고자 하는 마음에서다.

가격 설정에서 가장 중요한 두 가지 질문이 있다. "언제 가격을 정해야 할까?"와 "어떻게 가격을 정해야 할까?"다. 이 질문들에 답하려면 제품 개발 과정을 잘 알아야 한다.

먼저 프로토타입을 만들고, POC(검증)를 통해 셀링포인트를 찾는다. 이 과정에서 계속 개선(PIVOT)이 일어난다. 그 다음 설문조사, 캠페인, 전시회 등을 통해 내 제품을 평가받는데, 이때, 고객 반응은 대부분 좋다. 무료나 아주 싼 가격으로 제공하기 때문이다. 결국, 이러한 과정을 통해 셀링포인트와 니즈포인트의 개선점(PIVOT)을 조금씩 찾아간다.

그런데 가격을 실제로 매기고 고객에게 판매하려 하면 상황이 완전히 바뀐다. 무료 제품에 가격표가 붙자 고객들의 태도가 돌변하는 거다. 이건 마치 연애 초기와 결혼을 앞둔 상황의 차이와 비슷하다. 연애 초기엔 모든 게 장밋빛으로 보이다가도, 결혼을 앞두고 현실적인 문제를 고려하기 시작하면 상황이 달라지는 것과 같다.

이런 변화는 '돈'이라는 현실적인 문제가 생겼기 때문이다.

고객들은 이제 "이 돈 주고 살 만한 가치가 있나?"를 냉정하게 따지기 시작한다.

니즈포인트와 셀링포인트를 찾았다고 해서 제품이 완성된 건 아니다. 이건 그저 시제품이 나왔다는 뜻일 뿐이다. 이제부터가 진짜 시작이다. 우리는 이 '제품'을 어떻게 '상품'으로 바꿔서 고객이 지갑을 열게 만들 수 있을지 고민해야 한다.

여기서 '제품'과 '상품'의 차이를 아는 게 중요하다. '제품'은 만드는 사람 입장에서 본 물건이고, '상품'은 사는 사람 입장에서 본 물건이다. 이걸 이해하고 나면, 가격을 정할 때 어떤 점들을 생각해야 하는지 알 수 있다. 자, 그럼 이제 그 핵심 사항들을 하나씩 살펴보자.

1. 시장 진입 전략: 목표 시장 선정의 중요성
프리미엄 시장인지 대중시장인지에 따라 마케팅 전략과 제품 컨셉이 달라진다. 프리미엄 시장은 고품질, 희소성, 브랜드 가치에, 대중시장은 가격 경쟁력과 대량 생산에 초점을 맞춘다. 시장 선택은 전체 비즈니스 전략의 근간이므로 신중히 결정해야 한다.

2. 경쟁사 분석: 경쟁사 가격 파악의 필요성
선택한 시장의 경쟁사 가격을 파악해야 한다. 이는 우리 제품의 포지셔닝을 결정하는 중요한 요소다. 경쟁사들의 평균 가격을 기준으로 우리 제품의 가격 전략을 수립할 수 있다.

3. 경쟁력과 차별점: 제품의 고유 가치 정립

우리 제품의 경쟁력과 차별점을 명확히 해야 한다. 이는 고객이 우리 제품을 구매해야 하는 이유가 된다. 이러한 차별점은 가격 프리미엄을 정당화하거나, 같은 가격에서 더 높은 가치를 제공한다는 인식을 줄 수 있다.

4. 가격 전략: 가격 포지셔닝 결정

경쟁사와 똑같이 갈지, 독자 노선으로 갈지 결정해야 한다. 애플의 프리미엄 전략이나 샤오미의 가성비 전략 같은 선택이 가능하다. 어떤 전략을 선택하든 일관된 마케팅과 브랜드 메시지를 전달해야 한다.

5. 가치 요소: 무형의 가치 반영

가격 결정에는 제품 자체 외에도 포장, 서비스, 브랜드 이미지, 사회적 가치 등 다양한 요소가 영향을 미친다. 파타고니아처럼 환경 보호라는 사회적 가치를 가격에 반영할 수 있다. 총체적인 가치를 고려해야 한다.

6. 할인 전략: 신중한 할인 정책 수립

지속적인 할인은 상품 가치를 하향 평준화시킨다. 그러나 초기 스타트업의 경우, 고객 확보를 위해 제한적으로 할인을 사용할 수 있다. 초기 사용자에게 한정된 기간 동안 특별 가격을 제공하거나, 추천 프로그램을 통한 할인 등이 가능하다. 이는 일시적이며 장기적 가치 제안의 일부가 아님을 명확히 해야 한다.

7. 한정판 전략: 희소성을 통한 가치 상승

'한정' 키워드로 제품의 희소성을 높이고 구매 욕구를 자극할 수 있다. 한정판 에디션이나 시즌 한정 상품 출시가 좋은 예다.

8. 내부 역량 강화: 품질 개선 우선
내부 문제 해결과 품질 강화가 판매보다 우선한다. 이는 나무의 뿌리를 튼튼히 하는 것과 같다. 내실을 다진 후 외부로 나아가면 자연스럽게 성과가 나타날 것이다. 시간과 인내가 필요하지만, 지속 가능한 성장을 이룰 수 있다.

9. 가격 경쟁 주의: 가치 혁신을 통한 경쟁 회피
무조건적인 가격 경쟁은 피해야 한다. 대신 가치 혁신 전략을 고려해볼 수 있다. 블루오션 전략처럼 경쟁사와 다른 가치를 제공하여 새로운 시장을 창출하는 것이다. 예를 들어, CircleUp은 AI로 스타트업 투자 결정을 자동화하여 기존 VC와 차별화했다.

10. 세트 상품 전략: 번들링을 통한 판매 증대
세트로 묶어 판매하는 전략도 있다. 소비자는 대체로 세트를 선택하지만, 실제로는 큰 차이가 없을 수 있다. 매장 입장에서는 더 많은 상품을 판매할 수 있는 전략이다.

11. 기준점 효과 활용: 심리적 가격 전략
비싼 상품을 기준점으로 두고, 그보다 저렴한 상품을 배치하는 전략이다. 소비자는 비싼 상품을 기준으로 다른 상품들을 비교하게 되어, 의도한 상품을 선택하게 될 가능성이 높아진다.

12. 타깃 고객 이해: 구매자와 사용자의 구분
고객 그룹에 따라 가격설정이 달라질 수 있다. 예를 들어, 아동 제품의 경우 사용자는 아이지만 구매자는 부모다. 양쪽 모두를 고려한 전략이 필요하다.

13. 브랜드 이원화 전략: 시장 반응 테스트
노브랜드로 시장 반응을 테스트한 후, 브랜드를 론칭하는 전략이다. 하지만 이는 리스크도 있다. 테스트 결과와 실제 론칭 시 반응이 다를 수 있고, 전략이 밝혀질 경우 신뢰를 잃을 수 있다. 충분한 검토 후 진행하자.

14. 가치의 상대성 이해: 고객 인식에 따른 가치 창출
상품의 가치는 상대적이다. 빈티지 제품이 높은 가격에 거래되는 것처럼, 우리 제품에 어떤 가치를 부여할지 고민해야 한다. 고객이 그 가치를 인정한다면 높은 가격도 가능하다.

15. 가격설정 흐름: 유형에서 무형으로의 가치 확장
유형적 관점에서 시작해 무형적 가치를 부여하는 방향으로 나아가야 한다. 원가, 시장 시세, 이익률을 고려한 후, 브랜드 가치, 사회적 가치 등 무형의 요소를 반영한다.

16. 가격설정의 본질: 생산자와 고객 간의 균형
생산자와 고객 간의 타협점을 찾는 것이 핵심이다. 양측 모두가 만족할 수 있는 지점을 찾아야 하며, 이는 지속적인 소통과 피드백으로 이루어진다.

17. 포지셔닝과 시장 반응: 유연한 시장 접근
한 시장에서 인정받지 못했다고 해서 완전한 실패로 여기지 말자. 다른 고객군이나 해외 시장에서 기회가 있을 수 있다. 그러나 무조건적인 고집도 피해야 한다. 균형 잡힌 시각이 필요하다.

에피소드

청년 창업가 민수는 혁신적인 스마트 플랜터를 개발했다. 처음에는 제품의 기술력만 믿고 높은 가격을 책정했지만, 시장의 반응은 차가웠다. 고민 끝에 민수는 가격설정 전략을 재검토하기로 했다. 민수는 먼저 브랜드 이원화 전략(13번)을 적용해 보기로 했다. '에코그린'이라는 가상의 브랜드를 만들어 시장 반응을 테스트했다. 온라인 쇼핑몰에 제품을 올리고 다양한 가격대로 A/B 테스트를 진행했다. 동시에 그는 기준점 효과(11번)를 활용하기로 했다. 테스트 상품 페이지에 프리미엄 모델을 가장 위에 배치하고, 그 아래에 실제로 판매하고 싶은 중간 가격대 모델을 배치했다. 가장 아래에는 기본 모델을 두었다. 결과는 놀라웠다. 소비자들은 프리미엄 모델을 기준으로 다른 모델들을 비교했고, 민수가 의도한 대로 중간 가격대 모델에 가장 많은 관심을 보였다. 또한, 브랜드 이원화 전략 덕분에 실제 브랜드 이미지에 영향을 주지 않으면서도 귀중한 시장 데이터를 얻을 수 있었다. 이 경험을 바탕으로 민수는 자신의 실제 브랜드로 제품을 출시했고, 예상대로 중간 가격대 모델이 큰 인기를 끌었다. 민수의 스타트업은 이를 통해 시장에 성공적으로 안착할 수 있었고, 그는 가격설정의 중요성과 전략적 접근의 필요성을 깨달았다.

결론 및 정리

가격설정은 단순한 숫자 게임이 아니다. 시장, 고객, 제품, 기업 전략 등 다양한 요소를 종합적으로 고려해야 한다. 17가지 핵심 요소를 바탕으로 신중히 접근하되, 시장 반응에 따라 유연하게 대처해야 한다. 성공적인 가격설정은 깊은 시장 이해, 지속적인 고객 소통, 유연한 전략 수립에서 비롯된다. 이는 끊임없는 학습과 조정의 과정이며, 스타트업의 성장과 함께 계속 진화해야 할 핵심 과제다. 가격설정의 여정은 제품 개발만큼이나 중요하며, 이를 통해 우리는 진정한 의미의 '상품'을 만들어낼 수 있다.

19. 브레인스토밍(SCAMPER)

☑ **핵심 포인트**

· 브레인스토밍: 집단 지성 활용한 아이디어 발굴 기법
· SCAMPER: 기존 아이디어 변형 통한 새 아이디어 창출 방법
· 브레인스토밍 장점: 다양한 관점, 팀 시너지, 창의성 자극
· SCAMPER 구성: 대체, 결합, 응용, 수정, 용도 변경, 제거, 뒤집기
· 두 기법의 결합: 초기 아이디어를 혁신적 비즈니스 모델로 발전
· 핵심: 열린 마음과 도전 정신으로 아이디어 세상 변화 추구

창업을 준비하다 보면 아이디어 발굴이 가장 어려운 과제로 느껴질 때가 많다. 하지만 걱정하지 말자. 브레인스토밍이라는 방법론이 여러분의 나침반이 되어줄 것이다. 여기에 SCAMPER라는 기법을 더하면 아이디어 도출이 증강된다. 이번 장에서는 이 두 기법을 결합해 어떻게 창의적인 아이디어를 만들어낼 수 있는지 알아보자.

브레인스토밍은 **집단 지성**을 활용해 아이디어를 쏟아내는 기

법이다. 이는 판단을 유보하고 가능한 한 많은 아이디어를 끌어내는 것을 목적으로 한다. "엉뚱한 생각도 환영"이라는 말처럼 어떤 아이디어든 자유롭게 말할 수 있는 분위기가 중요하다. (단, 부정적 단어를 사용하거나 비난은 금지다.)

브레인스토밍의 장점은 다양한 관점을 얻을 수 있고, 팀원 간 시너지를 만들어내며, 창의성을 자극한다는 점이다. 예를 들어, 애플에서는 "아이폰을 더 매력적으로 만들려면 어떻게 해야 할까?"라는 주제로 브레인스토밍을 했다고 한다. 그 결과 페이스 ID, 무선 충전 등 혁신적인 기능들이 탄생했다.

SCAMPER는 기존 아이디어를 변형해 새로운 아이디어를 만드는 기법이다. 각 글자는 대체하기(S), 결합하기(C), 응용하기(A), 수정하기(M), 다른 용도로 사용하기(P), 제거하기(E), 뒤집기(R)를 의미한다. SCAMPER의 장점은 구체적인 질문을 통해 사고의 폭을 넓힐 수 있다는 점이다.

브레인스토밍과 SCAMPER를 결합하면 먼저 브레인스토밍으로 다양한 아이디어를 쏟아낸 뒤, SCAMPER를 적용해 각 아이디어를 더욱 발전시킬 수 있다. 이렇게 하면 초기 아이디어에서 출발해 더욱 혁신적이고 실현 가능한 아이디어로 발전시킬 수 있다. 그렇다면 꼭 SCAMPER만 써야 할까? 그렇지 않다. SCAMPER는 아이디어 발전을 위한 여러 도구 중 하나일 뿐이다. 상황과 목적에 따라 마인드맵, 6색 사고

모자 기법, TRIZ 등 다양한 창의적 문제 해결 기법을 활용할 수 있다. 중요한 것은 각 기법의 특성을 이해하고, 자신의 상황에 가장 적합한 방법을 선택하거나 여러 방법을 조합하여 사용하는 것이다. 때로는 이러한 정형화된 기법들을 벗어나 자유로운 상상력을 발휘하는 것도 좋은 방법이 될 수 있다.

에피소드

최근 만난 한 청년 창업팀은 '친환경 패션'이라는 주제로 사업 아이템을 찾고 있었다. 그들은 먼저 브레인스토밍 세션을 열어 다양한 아이디어를 쏟아냈다. "재활용 소재로 만든 가방은 어떨까요?" "식물성 가죽으로 신발을 만들면 어떨까요?" "옷을 빌려주는 서비스는 어떨까요?" 이 중 **'옷을 빌려주는 서비스'**에 주목한 팀은 SCAMPER 기법을 적용해 아이디어를 발전시켰다.

· S(대체): 개인 간 직접 대여로 바꾸기
· C(결합): AI 기술과 결합해 개인 스타일 추천
· A(응용): 특별한 날(결혼식, 면접 등)을 위한 맞춤형 서비스로 확장
· M(수정): 구독 모델로 변경, 매달 새 옷 이용 가능
· P(다른 용도): 안 입는 옷 기부 플랫폼으로도 활용
· E(제거): 물류 비용 줄이기 위해 지역 기반 서비스로 전환
· R(뒤집기): 고객이 직접 스타일리스트가 되어 조언을 제공하는 기능 추가

이 과정을 통해 그들은 '에코스타일쉐어'라는 아이디어를 발전시켰다. 이는 지역 기반의 친환경 패션 공유 플랫폼으로, AI 추천과 구독 모델, 기부 시스템을 결합한 혁신적인 서비스였다. 이 아이디어는 투자자들의 관심을 끌었고, 현재 서비스 출시를 앞두고 있다.

결론 및 정리

브레인스토밍과 SCAMPER의 결합은 창의적 아이디어 도출의 강력한 도구다. 이 방법을 활용하면 초기의 막연한 아이디어를 구체적이고 혁신적인 비즈니스 모델로 발전시킬 수 있다. 하지만 잊지 말자. 어떤 도구를 사용하든 가장 중요한 건 열린 마음과 도전정신이다. 여러분의 아이디어가 세상을 바꿀 수 있다는 믿음으로 끊임없이 도전하길 바란다.

20. 마인드맵

☑ **핵심 포인트**

· 마인드맵: 아이디어와 정보를 시각적으로 구조화하는 사고 도구

· 특징: 중심 주제에서 가지처럼 뻗어나가는 구조

· 장점: 사고의 자율성, 확장성, 광범위한 응용 가능

· 원리: 뇌의 뉴런 구조와 유사, 시냅스 구조로 사고 확장

· 활용: 사업 전략 기획, 아이디어 발굴, 전체 조망에 유용

· 응용: 다양한 범주와 중심 포커스에 따른 유연한 활용

예시 1)

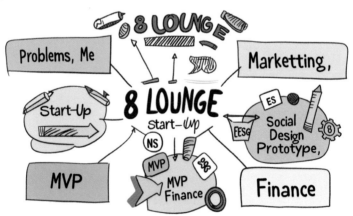

예시 2)

예시 3)

마인드맵은 아이디어, 정보, 개념을 **시각적으로 구조화하고 표현하기 위한 도구로써** 가장 널리 알려진 사고법이다. 이것은 중심 주제의 생각을 가지처럼 뻗어나가는 방식으로 이루어져 있다. 마인드맵의 구조는 우리 뇌의 뉴런 구조와 유사하다. 중심 주제를 기점으로 계속 뻗어나가는 시냅스 구조로 사고하기 때문에, 우리의 자연스러운 사고 흐름과 잘 맞는다. 서두에 제시된 마인드맵 예시 이미지를 확인해 보자. 이 이미지들은 마인드맵의 다양한 적용 방식과 구조를 잘 보여준다. 각 예시를 통해 마인드맵이 어떻게 아이디어를 확장하고 구조화하는지 이해할 수 있을 것이다.

마인드맵의 장점은 사고의 자율성과 확장성이 뛰어나며 광범위한 응용이 가능하다는 점이다. 뻗어나간 하위주제는 다른 하위주제와 상관관계를 규정할 수 있고, 상위주제와도 연결된다. 이러한 **시각적 연결과 사고에서 새로운 아이디어를 발굴**하게 되는 강점을 가진다.

마인드맵의 활용범위는 범주에 따라 달라진다. 사업단위로 마인드맵을 활용하면 마케팅, 상품기획, 서비스기획, 재무, 개발, 디자인 등의 범주에서 그려나갈 수 있다. 만약 서비스 범주를 중심포커스로 잡게 되면 프로토타입, 디자인, 포장, 컨셉, 브랜딩, 셀링포인트, 니즈포인트 등의 범주에서 마인드맵을 활용하게 된다. 이처럼 마인드맵은 중심포커싱을 어디에 두느냐에 따라 범위와 범주가 고무줄처럼 달라진다.

마인드맵은 특히 사업 전략 기획에 유용하다. 경영에서부터 실무 운영의 전반적인 사업 구도를 머릿속에 입체적으로 사고하기 위해 초기에 활용할 수 있다. 더 나아가 여러 개의 중심토픽을 조합하여 머릿속에 입체화하여 사고를 복합적으로 연결하는 방법도 있다. 이는 마치 상상 속의 주사위를 머릿속에 그려놓고 VR처럼 돌려가면서 연결하는 것과 같다.

마인드맵은 단순히 아이디어를 나열하는 것이 아니라, 아이디어 간의 관계를 시각적으로 표현할 수 있어 전체를 조망하기에 좋다. 자유로운 사고의 발상과 전체를 조망하고자 한다면 이 방법론을 적극 추천한다.

그러나 마인드맵에도 단점이 있다. 복잡한 주제의 경우 마인드맵이 너무 복잡해져 오히려 혼란을 줄 수 있으며, 선형적 사고가 필요한 상황에서는 적합하지 않을 수 있다. 이를 보완하기 위해 마인드맵과 함께 다른 방법론을 병행하는 것이 좋다. 예를 들어, SWOT 분석이나 PESTLE 분석과 같은 구조화된 분석 도구를 함께 사용하면 더욱 체계적인 아이디어 발굴과 분석이 가능하다.

마지막으로, 마인드맵을 쉽게 시작할 수 있는 방법을 소개하고자 한다. 현재 다양한 무료 마인드맵 프로그램이 있어 쉽게 다운로드하거나 웹에서 사용할 수 있다. 예를 들어, 알마인드, FreeMind, XMind, MindMeister 등의 프로그램을 활용해 보는 것을 추천한다. 이러한 도구들을 통해 여러분의 아이디어를 더욱 효과적으로 시각화하고 발전시킬 수 있을 것이다.

에피소드

한 스타트업 팀이 새로운 배달 앱 서비스를 기획하고 있었다. 그들은 마인드맵을 활용해 아이디어를 발전시켰다. 중심에 '혁신적인 배달 앱'을 두고, 여섯 개의 주요 토픽(주제 항목)으로 '기술', '고객 경험', '파트너십', '수익 모델', '마케팅', '운영'을 뻗어 나갔다. '기술' 토픽에서 'AI 추천 시스템'이라는 아이디어가 나왔고, 이는 '고객 경험' 토픽의 '맞춤형 메뉴 제안'과 연결되었다. '파트너십' 토픽에서 나온 '지역 농가와의 협력'은 '수익 모델' 토픽의 '신선 식재료 정기 배송' 아이디어로 이어졌다. 이렇게 마인드맵을 통해 아이디어를 시각화하고 연결하면서, 그들은 단순한 배달 앱을 넘어 'AI 기반 맞춤형 식사 큐레이션 및 신선 식재료 배송 서비스'라는 혁신적인 비즈니스 모델을 도출할 수 있었다.

결론 및 정리

마인드맵은 우리의 사고를 자유롭게 확장하고 구조화하는 강력한 도구다. 이를 통해 복잡한 아이디어를 시각적으로 정리하고, 새로운 연결점을 발견할 수 있게 해준다. 특히 사업 기획이나 전략 수립 과정에서 전체 구조를 그리는 데 큰 도움이 된다. 그러나 기억해야 할 점은 마인드맵은 도구일 뿐이며, 가장 중요한 것은 여러분의 창의적인 사고와 열정이다. 마인드맵을 활용해 여러분의 아이디어를 펼쳐보고, 그 속에서 혁신적인 비즈니스 모델을 발견해 나가길 바란다. 마인드맵 도구들을 활용해 아이디어를 수립해 보는 것도 좋은 시작이 될 것이다.

21. STP

STP는 세분화(Segmentation), 타깃팅(Targeting), 포지셔닝(Positioning)의 약자다. 이는 효과적인 시장 전략을 수립하기 위한 핵심 마케팅 프레임워크로, 예비 창업가들에게 매우 중요한 도구다. STP를 통해 제한된 자원을 효율적으로 활용하고 경쟁 우위를 확보할 수 있다. STP는 주로 사업 계획 초기 단계에서 활용된다. 아이디어 검증 단계를 지나 구체적인 비즈니스 모델을 수립하는 과정에서 STP를 적용하면 효과적이다. 이를 통해 우리 제품이나 서비스가 누구를 위한 것인지, 어떤 가치를 제공할 것인지를 명확히 할 수 있다.

세분화(Segmentation)는 전체 시장을 동질적인 소비자 그룹으로 나누는 과정이다. 이는 마치 큰 케이크를 여러 조각으로 나누는 것과 같다. 예를 들어, 스마트폰 시장을 세분화한다면 '고성능 추구형', '실용성 중시형', '디자인 중시형' 등으로 나눌 수 있다.

타깃팅(Targeting)은 세분화된 시장 중 가장 적합한 목표 시장을 선정하는 과정이다. 이는 나누어진 케이크 조각 중 우리가 가장 맛있게 먹을 수 있는 조각을 고르는 것과 같다. 예를 들어, 애플은 '디자인 중시형'과 '고성능 추구형' 세그먼트를 주요 타깃으로 선정했다고 볼 수 있다.

포지셔닝(Positioning)은 선택된 타깃 시장에서 우리 제품이나 서비스의 차별화된 위치를 설정하는 것이다. 이는 고른 케이크 조각을 어떻게 먹을지 결정하는 것과 같다. 예를 들어, 볼보는 '안전한 자동차'라는 포지셔닝을 통해 시장에서 독특한 위치를 차지했다.

STP는 큰 틀의 범주를 설정할 수 있다는 점에서 유용하지만, 더 세부적인 전략을 위해서는 추가적인 도구가 필요하다. 고객 페르소나 설정, 고객 여정 맵 작성, 가치 제안 캔버스 등의 도구를 활용하면 STP를 통해 설정한 큰 방향성을 바탕으로 더 구체적이고 실행 가능한 전략을 수립할 수 있다. 최근에는 STP의 진화된 형태로 'STP-C' 모델이 제안되고 있다. 여기서 'C'는 'Customer Experience'를 의미한다. 이는 단순히 시장을 나누고 타깃을 정하는 것을 넘어, **고객 경험 전체를 고려**하는 접근법이다. 예를 들어, 에어비앤비는 단순히 숙박 서비스를 제공하는 것이 아니라, '현지인처럼 살아보는 경험'이라는 전체적인 고객 경험을 제공하는 데 초점을 맞추고 있다.

STP의 단점으로는 시장 변화에 대한 즉각적인 대응이 어렵다는 점, 너무 좁은 타깃팅으로 인한 기회 손실 가능성 등이 있다. 이를 보완하기 위해 지속적인 시장 모니터링과 유연한 전략 조정이 필요하다. 또한 STP는 SWOT 분석, 비즈니스 모델 캔버스 등과 결합했을 때 더욱 효과적이다. 이를 통해 내부 역량과 외부 환경을 종합적으로 고려한 전략 수립이 가능하다.

마지막으로, STP는 트렌드 분석, 페인포인트 파악, 시장분석과 밀접한 연관이 있다. 세분화 과정에서 시장 트렌드와 고객의 페인포인트를 고려해야 하며, 타깃팅과 포지셔닝 과정에서 상세한 시장분석이 필요하다. 이러한 요소들을 종합적으로 고려함으로써 더욱 정교하고 효과적인 STP 전략을 수립할 수 있다.

결국, STP는 예비 창업가들에게 시장을 체계적으로 분석하고 효과적인 마케팅 전략을 수립할 수 있는 강력한 도구다. 하지만 시장 환경과 소비자의 니즈는 계속 변화하므로, STP 전략 역시 지속적으로 검토하고 수정해 나가야 한다. 이를 통해 변화하는 시장에 유연하게 대응하며 성공적인 비즈니스를 이끌어 나갈 수 있을 것이다.

에피소드

한 예비 창업가가 건강식품 시장에 진출하려 했다. 그는 STP 분석을 통해 다음과 같은 전략을 수립했다:

· 세분화: 그는 시장을 나이, 건강 관심도, 소득 수준 등으로 세분화했다.

· 타겟팅: 그중 "50대 이상, 건강에 높은 관심, 중상위 소득"의 그룹을 타깃으로 선정했다.

· 포지셔닝: "자연의 힘을 그대로 담은 프리미엄 건강식품"이라는 포지셔닝을 설정했다.

이러한 STP 전략 덕분에 그는 제한된 마케팅 예산을 효과적으로 사용할 수 있었고, 타깃 고객들에게 명확한 브랜드 이

미지를 전달할 수 있었다.

결론 및 정리

STP는 예비 창업가들에게 매우 중요한 전략적 도구다. 이를 통해 시장을 체계적으로 분석하고, 효과적인 마케팅 전략을 수립할 수 있다. 하지만 기억해야 할 점은 STP는 고정된 것이 아니라는 것이다. 시장 환경과 소비자의 니즈는 계속 변화하므로, STP 전략 역시 지속적으로 검토하고 수정해 나가야 한다. 예비 창업가 여러분, STP를 통해 여러분의 비즈니스가 나아갈 방향을 명확히 하고, 한정된 자원을 효과적으로 활용하여 성공적인 창업을 이루길 바란다.

22. 가치 제안 캔버스

☑ 핵심 포인트

· 가치 제안 캔버스: 고객 니즈와 제품 가치 일치를 위한 도구

· 구성: 제품 측면(필요 혜택, 감성/경험, 필요 기능, 핵심 가치)과
고객 측면(고객 가치, 고객 니즈, 고객 불편)

· 사용 목적: 고객 이해, 제품 가치 정의, 문제 해결 방안 모색

· 장점: 명확한 고객 이해, 효율적 문제 해결, 팀 협업 강화

· 단점: 시간 소요, 복잡성, 지속적 업데이트 필요

· 활용: 스타트업의 제품 개발 및 개선에 필수적 도구

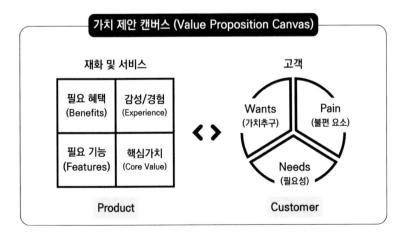

가치 제안 캔버스는 우리 제품이 고객에게 어떤 가치를 줄 수 있는지 파악하는 도구다. 이는 마치 퍼즐을 맞추는 것과 같다. 한쪽 퍼즐은 제품이고, 다른 쪽 퍼즐은 고객이다. 이 두 퍼즐을 정확히 맞춰야 비로소 완벽한 그림이 완성된다. 이 캔버스는 크게 제품 측면과 고객 측면으로 나뉜다.

제품 측면에서는 필요 혜택, 감성/경험, 필요 기능, 핵심 가치를 살펴본다. 예를 들어, 스마트폰을 만든다면 '빠른 처리 속도'(필요 혜택), '사용의 즐거움'(감성/경험), '고화질 카메라'(필요 기능), '혁신적 기술'(핵심 가치) 등이 될 수 있다.

고객 측면에서는 고객 가치, 고객 니즈, 고객 불편을 다룬다. 같은 스마트폰 예시로, '최신 트렌드 따라가기'(고객 가치), '고품질 사진 촬영'(고객 니즈), '복잡한 사용법'(고객 불편) 등을 생각해볼 수 있다.

가치 제안 캔버스를 사용하는 방법은 다음과 같다:

· 고객 세분화: 우리 제품의 주 고객층을 정한다.

· 고객 니즈와 불편 파악: 고객이 원하는 것과 겪는 어려움을 찾는다.

· 제품의 혜택과 기능 정의: 우리 제품이 제공할 수 있는 것들을

나열한다.

· 고객 경험 이해: 제품 사용 시 고객이 느낄 감정을 예측한다.

· 핵심 가치 도출: 제품의 근본적인 가치를 정의한다.

· 매칭: 고객 니즈와 제품 혜택을 연결한다.

· 검증 및 수정: 실제 고객 반응을 보고 필요시 수정한다.

이 과정에서 셀링포인트와 니즈포인트를 파악하는 것이 중요하다. 셀링포인트는 제품의 매력 포인트로써 고객이 정말로 원하는 것이고, 니즈포인트는 고객이 필요로 하는 기능을 말한다. 이 두 가지가 결합될 때 제품은 성공할 가능성이 높아진다. 가치 제안 캔버스의 장점은 명확한 고객 이해와 제품 가치 제시, 효율적인 문제 해결, 팀 내 협업 강화 등이다.

하지만 시간이 많이 걸리고, 복잡할 수 있으며, 시장 변화에 따른 지속적인 업데이트가 필요하다는 한계도 있다. 이러한 한계를 극복하기 위해서는 다른 방법론과의 결합이 필요하다. 예를 들어, 린 스타트업 방법론과 결합하면 가설을 빠르게 검증할 수 있고, 디자인 싱킹과 결합하면 더 창의적인 해결책을 찾을 수 있다. 또한, 고객 개발 방법론을 함께 사용하면 실제 고객의 피드백을 더 효과적으로 반영할 수 있다.

결국, 가치 제안 캔버스는 우리 제품과 고객을 연결하는 다리 역할을 한다. 이 다리를 잘 놓으면, 고객의 니즈를 정확히 파악하고 그에 맞는 가치를 제공할 수 있다. 이는 마치 열쇠와 자물쇠를 정확히 맞추는 것과 같다. 열쇠(제품)가 자물쇠(고객 니즈)에 딱 맞을 때, 비로소 성공의 문이 열리는 것이다.

에피소드: 제품 관점의 사례

한 IT 스타트업 'TechEase'는 중소기업을 위한 클라우드 서비스를 개발하고 있었다. 초기에는 기술적 기능에만 집중했지만, 가치 제안 캔버스를 활용하면서 새로운 인사이트를 얻게 되었다. 그들은 캔버스의 제품 측면에서 '필요 기능'을 나열하며 시작했다. 데이터 저장, 실시간 협업, 보안 등이 포함되었다. 그러나 '감성/경험' 부분을 채우려 할 때, 팀은 어려움을 겪었다. 이를 해결하기 위해 고객사 직원들과의 인터뷰를 진행했고, 많은 사용자들이 복잡한 IT 시스템에 대한 두려움과 좌절감을 느낀다는 것을 발견했다.

이 통찰을 바탕으로 'TechEase'는 '필요 혜택' 부분에 '사용의 편의성'과 '스트레스 감소'를 추가했다. '핵심 가치'는 '기술의 민주화'로 정의되었다. 이러한 과정을 통해 그들은 단순히 기능적인 클라우드 서비스가 아니라, 중소기업이 쉽게 접근하고 사용할 수 있는 '기술 파트너'로서의 제품을 개발하게 되었다. 결과적으로 'TechEase'의 제품은 시장에서 큰 호응을 얻었고, 많은 중소기업들이 IT 시스템 도입에 대한 두려움 없이 클라우드 서비스를 활용할 수 있게 되었다.

에피소드: 고객 관점의 사례

'FreshMeal'이라는 식사 배달 스타트업은 초기에 단순히 맛있는 음식을 빠르게 배달하는 것에 집중했다. 그러나 가치 제안 캔버스의 고객 측면을 분석하면서, 그들은 고객의 더 깊은 니즈를 발견하게 되었다. '고객 가치' 부분을 채우면서, 그들은 단순히 '맛있는 음식'이나 '빠른 배달' 이상의 것이 있다는 것을 깨달았다. 고객 인터뷰를 통해 많은 이들이 '건강한 식사'와 '다양한 음식 경험'을 원한다는 것을 알게 되었다. '고객 니즈' 부분에서는 '시간 절약', '영양 균형', '새로운 맛 경험' 등이 도출되었다. '고객 불편' 부분에서는 '메뉴 선택의 어려움', '칼로리 계산의 번거로움', '포장 쓰레기로 인한 환경 문제에 대한 죄책감' 등이 나타났다.

이러한 분석을 바탕으로 'FreshMeal'은 그들의 서비스를 크게 개선했다. 영양사가 설계한 균형 잡힌 메뉴, 세계 각국의 요리를 주기적으로 소개하는 '글로벌 위크', 칼로리와 영양 정보를 명확히 표시, 그리고 생분해성 포장재 도입 등의 변화를 주었다. 이러한 변화 후, 'FreshMeal'의 고객 만족도와

재주문율이 크게 상승했다. 그들은 단순한 음식 배달 서비스를 넘어, 고객의 건강하고 다양한 식사 경험을 책임지는 '식사 파트너'로 자리매김하게 되었다.

결론 및 정리

가치 제안 캔버스는 스타트업이 고객의 진정한 니즈와 문제를 파악하고, 이를 해결하기 위한 핵심 도구다. 이를 통해 제품의 가치를 명확히 정의하고, 고객에게 실제로 필요한 가치를 제공할 수 있다. 'TechEase'와 'FreshMeal'의 사례에서 볼 수 있듯이, 가치 제안 캔버스는 제품과 고객 양쪽의 관점에서 깊이 있는 통찰을 제공한다. 이는 단순히 기능적인 개선을 넘어, 고객의 감성과 경험까지 고려한 혁신적인 제품과 서비스 개발로 이어진다.

이러한 가치 제안 캔버스를 통해 여러분의 제품과 고객을 더 깊이 이해하고, 진정한 가치를 제공하는 비즈니스를 만들어 나가길 바란다. 고객의 니즈를 정확히 파악하고, 그에 맞는 가치를 제공하는 것. 지속적인 관찰, 분석, 그리고 개선을 통해 여러분의 스타트업이 시장에서 빛을 발하길 기대한다.

23. KBF

☑ **핵심 포인트**

· KBF(Key Buying Factor): 고객의 주요 구매 결정 요인
· 셀링포인트와 니즈포인트: KBF 분석의 핵심 개념
· KBF 분석 단계: 목표 설정, 설문 항목 선정, 설문 진행, 데이터 분석
· KBF와 MVP, PMF의 관계
· KBF 분석의 장단점 및 보완 방법

시장은 빠르게 변하고, 고객의 니즈도 끊임없이 진화한다. 이런 상황에서 제품이나 서비스가 실패하는 주된 이유는 고객이 진정으로 원하는 바를 제대로 파악하지 못했기 때문이다. 이때 우리에게 필요한 것이 바로 **KBF** 분석(설문, 인터뷰)이다.

KBF(Key Buying Factor)는 '**주요 구매 요인**'을 뜻한다. 즉, 고객이 제품이나 서비스를 구매할 때 **가장 중요하게 여기는 요소**를 말한다. KBF 분석은 이런 요인을 찾고 분석하는 과정으로, 마치 고객의 마음을 들여다보는 돋보기 역할을 한다.

※ KBF 분석 구조 및 프로세스 예시

KBF (1차 접근)		타깃 그룹 (50명)	A 고객 그룹 (30명)	B 고객 그룹 (30명)
고객	주요 WANT	1순위:	1순위:	1순위:
	부가 WANT	2순위:	2순위:	2순위:
		3순위:	3순위:	3순위:
프로 토타 입	개선 사항	1순위:	1순위:	1순위:
		[공통 사항]		
		2순위:	2순위:	2순위:
		[공통 사항]		

(고객 피드백 분석) *(1차 개선)*

KBF (2차 접근)	타깃 그룹 (100명)	C 고객 그룹 (50명)	D 고객 그룹 (50명)
[내용 생략(상동)]			

(셀링포인트 발굴) *(2차 개선)*

KBF (3차 접근)	타깃 그룹 (100명)	E 고객 그룹 (50명)	F 고객 그룹 (50명)
[내용 생략(상동)]			

여기서 중요한 두 가지 개념이 있는데, 바로 '셀링포인트'와 '니즈포인트'다. 셀링포인트는 우리 제품이나 서비스가 가진 매력 포인트(WANT)라면, 니즈포인트는 고객이 실제로 필요로 하는 것(기능)을 말한다. 예를 들어, 스마트폰의 셀링포인트가 '좋은 사진을 쉽게 찍고 싶다'라면, 고객의 니즈포인트는 '고성능 카메라'이다. KBF 분석은 이러한 고객 니즈를 'STP', '가치 제안 캔버스'보다 더 명확히 찾아낼 수 있게 해준다.

KBF 분석은 목표 설정, 설문 항목 선정, 설문 진행, 데이터 분석의 단계로 이뤄진다. 이는 마치 탐정이 사건을 해결하는 과정과 유사하다. 먼저 사건의 목표를 설정하고, 증거를 수집할 방법을 정하고, 실제로 조사를 진행한 후, 수집한 정보를 분석하여 결론을 도출하는 것과 같다.

KBF는 MVP(Minimum Viable Product) 및 PMF(Product Market Fit)로 안착하기 위해 중요하다. 이는 마치 배를 띄우기 전에 물길을 확인하는 것과 같다. 주로 완성품 단계에서 수립하지만, 프로토타입 단계에서도 활용할 수 있다.

하지만 KBF 분석에도 단점은 있다. 설문 대상이 제한적이거나 편향될 수 있고, 응답자의 실제 행동과 응답 사이에 괴리가 있을 수 있다는 점이다. 또한, 시장 변화가 빠른 경우, 분석 결과가 시대에 뒤처질 수 있다. 이를 보완하기 위해서는 다양한 방법을 병행해야 한다. 예를 들어, 실제 구매 데이터 분석, 심층 인터뷰, 현장 관찰 등을 함께 실시하여 결과의 신뢰성을 높여 보자. 또한 정기적으로 KBF 분석을 반복하여 변화하는 시장에 대응할 필요가 있다.

에피소드

한 식품 스타트업이 새로운 건강 스낵을 출시하려 했다. 그들은 KBF 분석을 통해 '맛'과 '건강'이 주요 구매 요인임을 파악했다. 하지만 실제 출시 후 판매가 저조했다. 원인을 찾기 위해 추가 조사를 했더니, 설문(KBF)에서 나타나지 않았던 '편의성'이 중요한 요인이었음을 알게 됐다. 고객들은 건강하고 맛있는 스낵을 원했지만, 동시에 쉽게 구매하고 섭취할 수 있기를 바랐던 것이다. 이 스타트업은 KBF 분석 결과에 안주하지 않고, 지속적인 시장 모니터링과 고객 피드백 수집을 통해 제품을 개선했다. 편의점 유통을 확대하고 포장을 더 간편하게 바꾸자, 판매가 크게 늘어났다.

결론 및 정리

KBF 분석은 고객의 주요 구매 요인을 파악하는 강력한 도구다. 하지만 이것만으로는 부족할 수 있다. 시장은 계속 변하고, 고객의 니즈도 복잡하다. 따라서 KBF 분석은 다른 방법들과 함께 사용되어야 하며, 지속적으로 업데이트되어야 한다.

결국, 성공적인 제품 개발의 핵심은 **고객을 이해하는 것**이다. KBF 분석은 이를 위한 중요한 수단이지만, 궁극적으로는 고객과의 끊임없는 소통과 시장에 대한 깊은 이해가 필요하다. 이를 통해 우리는 진정으로 고객의 니즈를 충족시키는 제품과 서비스를 만들 수 있을 것이다.

24. PESTLE

> ### ☑ 핵심 포인트
>
> · PESTLE 분석: 기업의 외부 환경 분석 도구
> · PESTLE의 구성 요소: 정치, 경제, 사회, 기술, 법률, 환경
> · PESTLE 분석의 목적: 거시적 환경 변화 파악, 기회와 위협 요소 식별
> · PESTLE 분석의 중요성: 비즈니스 전략 수립의 기초 자료 제공
> · PESTLE 분석의 활용: 사회적 흐름 이해, 고객 니즈 변화 예측

많은 스타트업을 준비하는 이들은 국내 시장을 분석하고 그에 따른 사업 아이템 기획에 온전히 몰입한다. 그러나 이는 우물 안 개구리와 같다. 2008년 글로벌 금융위기, 중동 전쟁, 기후 위기, 브렉시트, GPT의 등장. 이것의 공통점은 무엇일까? 바로 외부 요인이다. 이를 거시경제라 부르기도 하는데, 우리는 왜 이것을 알아야 할까? 그리고 스타트업을 준비하는 우리와는 무슨 상관이 있을까? 그렇다. 내 사업 아이템을 수립하는 데 있어 이러한 요인들은 매우 밀접하게 연결되

어 있다. 일례로 코로나로 인한 세계 금융위기는 한국의 집
값을 끌어올리는 데 큰 일조를 했다. 이것만 보더라도 우리
는 대외 요인을 그냥 넘겨짚고 가면 안 될 듯하다. 이러한
요인들을 다각도로 파악할 수 있게 해주는 방법론이 있는데,
그것이 바로 PESTLE 분석이다.

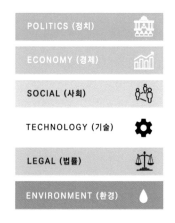

PESTLE 분석은 기업의 비즈니스에 영향을 미칠 수 있는 외
부 환경의 영향과 위험을 분석하는 도구다. 처음에는
PEST(Political, Economic, Social, Technological) 분석으로 시작했
지만, 점차 Legal(법)과 Environmental(환경) 요소의 중요성이
커지면서 PESTLE 분석으로 확장되었다. 참고로 PESTLE,
PESTLE 등 다양한 용어로 혼용되기도 하는데, 여기서는

PESTLE로 통일해서 사용하겠다.

PESTLE 분석의 각 요소를 살펴보자. 정치적 요소는 정부의 정책과 규제를 의미한다. 경제적 요소는 국가의 경제 상황과 소비자의 구매력을 나타낸다. 사회적 요소는 사회 문화와 소비자의 가치관을 의미한다. 기술적 요소는 새로운 기술의 개발과 보급을 말한다. 법적 요소는 기업의 활동에 영향을 미치는 법률과 규제를 의미한다. 환경적 요소는 기업의 활동이 미치는 환경적 영향과 규제를 의미한다.

PESTLE 분석을 통해 기업은 비즈니스에 영향을 미칠 수 있는 거시적 환경의 변화를 파악할 수 있다. 또한, 기업의 비즈니스에 기회와 위협이 되는 요소를 식별하고, 이를 바탕으로 비즈니스 전략을 수립할 수 있다.

하지만 PESTLE 분석에도 단점이 있다. 첫째, 분석 과정이 복잡하고 시간이 많이 소요된다. 둘째, 빠르게 변화하는 환경에서는 분석 결과가 빨리 뒤처질 수 있다. 셋째, 분석자의 주관적 해석에 따라 결과가 달라질 수 있다.

이러한 단점을 보완하기 위해서는 다음과 같은 노력이 필요하다. 먼저, 정기적으로 분석을 업데이트하여 최신 정보를 반영해야 한다. 또한, 다양한 전문가의 의견을 수렴하여 객관성을 확보해야 한다. 마지막으로, PESTLE 분석을 다른 분석 도구들과 함께 사용하여 종합적인 시각을 가져야 한다. PESTLE 분석은 외부요인을 다루기 때문에 창업을 준비하는 이들은 대외분석 및 트렌드를 최우선으로 확인할 필요가 있다. 또한 이것은 고객 트렌드를 분석하는 데 있어 요긴하게 활용된다.

에피소드

한 전기차 배터리 제조 스타트업의 사례를 살펴보자. 이 회사는 PESTLE 분석을 통해 다음과 같은 인사이트를 얻었다.

· 정치적: 각국 정부가 전기차 보급을 적극 장려
· 경제적: 전기차 시장이 급성장
· 사회적: 환경 보호에 대한 인식이 높짐
· 기술적: 배터리 효율이 크게 개선
· 법 적: 배터리 안전 규제가 강화
· 환경적: 배터리 재활용에 대한 요구 증가

이러한 분석을 바탕으로 그들은 안전성과 재활용성이 높은 차세대 배터리 개발에 집중했다. 결과적으로 그들의 기술은 여러 전기차 제조사들의 주목을 받게 되었고, 대규모 투자 유치에도 성공했다. PESTLE 분석이 없었다면, 그들은 이런 기회를 놓쳤을지도 모른다.

결론 및 정리

PESTLE 분석은 기업이 처한 거시적 환경을 종합적으로 이해하는 데 도움을 준다. 이를 통해 기업은 잠재적 위험을 미리 파악하고 새로운 기회를 발견할 수 있다. 특히 빠르게 변화하는 현대 사회에서 PESTLE 분석의 중요성은 더욱 커지고 있다.

예비 창업자들에게 PESTLE 분석은 사업의 성공 확률을 높이는 중요한 도구가 될 수 있다. 이는 아이디어가 실현될 환경을 종합적으로 분석함으로써 더 견고한 사업 계획을 세울 수 있게 해 준다. 또한, PESTLE 분석은 거시경제적 요인이 어떻게 미시경제와 연결되어 있는지를 이해하는 데 도움을 준다. 이를 통해 창업자는 외부 환경의 변화가 자신의 사업에 미칠 영향을 더 정확히 예측할 수 있다.

결론적으로, PESTLE 분석을 통해 우리는 더 넓은 시야로 비즈니스 세계를 바라볼 수 있게 된다. 이는 단순한 분석 도구를 넘어, 창업자에게 필수적인 전략적 사고방식을 제공한다. 빠르게 변화하는 세상 속에서 성공적인 사업을 이끌어가기 위해, PESTLE 분석은 반드시 익혀야 할 핵심 역량이다.

25. TAM-SAM-SOM, EVG

☑ 핵심 포인트

· TAM-SAM-SOM: 시장 규모 분석 도구

· EVG: 초기 채택자 분석 도구

· 각 지표의 의미와 계산 방법

· 분석의 장단점과 보완 방법

· 함께 활용할 수 있는 추가 방법론

많은 스타트업들이 뛰어난 아이디어를 가지고 시작하지만, 실제 시장에서 성공하지 못하는 경우가 많다. 그 이유 중 하나는 자신들의 제품이나 서비스가 실제로 얼마나 큰 시장을 가지고 있는지, 그리고 그중 얼마나 점유할 수 있을지에 대한 정확한 이해가 부족해서다. 이런 문제를 해결하기 위해 우리는 TAM, SAM, SOM, 그리고 EVG라는 네 가지 지표를 활용할 수 있다.

TAM, SAM, SOM은 마치 과녁의 동심원과 같다. TAM은 가장 큰 원으로, 전체 시장을 의미한다. SAM은 실제로 당신의 제품이 도달할 수 있는 시장을, SOM은 실제로 당신이 점유할 수 있는 시장을 의미한다. EVG는 이 과녁의 중심에 있는 핵심 고객층이라고 할 수 있다.

이 지표들을 계산하는 방법을 펫케어 서비스를 예로 들면 다음과 같다:

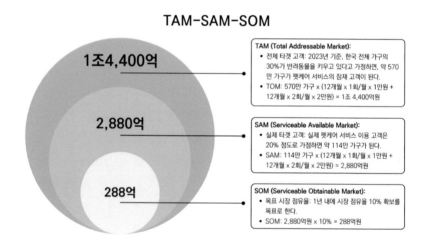

TAM (Total Addressable Market) 계산:

· 전체 시장의 크기를 파악한다. (예: 한국의 전체 반려동물 가구 수)

· 각 가구당 예상 지출액을 계산한다. (예: 월 1회 기본 서비스 +
월 2회 추가 서비스)
· 공식: 전체 가구 수 × 연간 예상 지출액
· 예: 570만 가구 × (12개월 × 1회/월 × 1만 원 + 12개월 ×
2회/월 × 2만 원) = 1조 4,400억 원

SAM (Serviceable Available Market) 계산:
· TAM 중 실제로 서비스를 이용할 가능성이 있는 고객 비율을 추정한다.
(예: 20%)
· 공식: TAM × 실제 서비스 이용 가능 고객 비율
· 예: 570만 가구 × 20% × (12개월 × 1회/월 × 1만 원 + 12개월 ×
2회/월 × 2만 원) = 2,880억 원

SOM (Serviceable Obtainable Market) 계산:
· SAM 중 목표로 하는 시장 점유율을 설정한다. (예: 10%)
· 공식: SAM × 목표 시장 점유율
· 예: 2,880억 원 × 10% = 288억 원

EVG (Earlyvangelists)는 수치로 계산하기보다는 질적으로 파
악해야 한다. 이들은 제품을 가장 먼저 사용하고, 그 가치를
다른 사람들에게 전파하는 역할을 한다. 이러한 분석 방법은
매우 유용하지만, 몇 가지 단점도 있다. 첫째, 급변하는 시장
환경에서는 빠르게 시대에 뒤처질 수 있다. 둘째, 정확한 데
이터를 얻기 어려울 수 있다. 셋째, 시장 점유율 예측(SOM)은
주관적일 수 있다는 점이다. 이런 단점을 보완하기 위해서는

정기적인 업데이트, 다양한 데이터 소스 활용, 시나리오 분석, 실험적 접근 등의 방법을 사용해 보자. 또한 PESTLE 분석, Porter의 5가지 경쟁요인 분석, 고객 개발 방법론, Lean Startup 방법론 등을 함께 활용하면 더욱 정확하고 유용한 시장분석을 할 수 있다.

에피소드

세 명의 친구가 반려동물에 대한 사랑으로 펫케어 스타트업을 시작했다. 그들은 TAM-SAM-SOM 방법론을 활용해 시장 규모를 파악했다. TAM 분석 결과, 한국의 전체 펫케어 시장 규모가 1조 4,400억 원임을 알아냈다. SAM 분석을 통해 실제 서비스 이용 가능성이 있는 고객을 2,880억 원 규모로 추정했다. SOM 분석으로는 첫 해 목표 시장 점유율을 10%로 설정하여 288억 원의 시장을 목표로 삼았다. 또한, 그들은 EVG 전략을 적극 활용했다. 펫케어 서비스에 관심이 많은 블로거와 인플루언서들을 초기 사용자로 확보하여 입소문 마케팅 효과를 얻었다. 이러한 체계적인 접근 덕분에 그들은 첫 해에 10% 시장 점유율 달성에 성공했고, 펫케어 시장의 떠오르는 스타 기업으로 자리 잡았다.

결론 및 정리

TAM-SAM-SOM, EVG 분석은 스타트업이 시장의 크기와 자신의 위치를 정확히 파악하고, 효과적인 전략을 수립하는 데 큰 도움을 준다. 이는 단순한 숫자 게임이 아니라, 시장을 이해하고 고객과 소통하는 방법을 제시한다. 그러나 이 방법론의 한계점도 인식해야 한다. 시장 변화에 따른 빠른 업데이트, 다양한 데이터 소스의 활용, 다른 분석 방법론과의 결합 등을 통해 이러한 한계를 극복할 수 있다. 예비 창업자들은 이러한 분석을 통해 자신의 아이디어가 실제로 얼마나 큰 시장성을 가지고 있는지, 어떤 전략으로 시장에 접근해야 하는지를 파악할 수 있다. 또한, EVG를 통해 초기 시장 진입 전략을 수립할 수 있다.

결국, 이러한 체계적인 접근은 스타트업의 성공 가능성을 높이고, 불확실성을 줄이는 데 큰 역할을 한다. 창업의 꿈을 현실로 만들고 싶다면, TAM-SAM-SOM, EVG 분석은 반드시 거쳐야 할 과정이다.

26. 현장 조사 및 체험

☑ 핵심 포인트

· 온라인 정보만으로는 고객 니즈 파악에 한계가 있다.

· 인간은 본질적으로 대면 접촉을 필요로 하는 존재다.

· 스타트업의 성공에는 현장 조사와 직접 체험이 필수적이다.

· 다양한 방법의 현장 조사를 통해 고객 니즈와 시장 트렌드를
파악할 수 있다.

우리는 스마트폰 하나로 세상의 모든 정보를 손안에 넣을 수
있는 시대에 살고 있다. AI의 상용화로 정보 접근성은 더욱
높아졌다. 그럼에도 우리는 왜 고객의 진정한 니즈를 쉽게
파악하지 못할까? 온라인 데이터는 표면적인 정보만 제공할
뿐, 고객의 내면에 숨겨진 진짜 욕구를 보여주지 못하기 때
문이다.

코로나19 시기를 겪으며 우리는 중요한 교훈을 얻었다. 언택
트 시대에 우울증 상담 건수가 급증한 것은 인간이 본질적으

로 대면 접촉을 필요로 하는 존재임을 보여준다. 이는 마치 식물이 햇빛과 물을 필요로 하는 것과 같다. 창업을 준비하는 이들에게 이는 중요한 시사점을 준다. 온라인 데이터만으로는 고객의 마음을 온전히 읽을 수 없다는 뜻이다.

그렇다면 어떻게 해야 할까? **답은 현장에 있다.** 현장 조사와 직접 체험은 스타트업의 성공에 있어 5할 이상을 차지할 만큼 중요하다. "현장 조사 및 체험"은 페인 포인트 발굴 단계에서부터 시작된다. 고객의 불편함과 문제점을 직접 체험하고 발견하는 것이다. 이는 틈새시장을 찾는 첫걸음이 된다.

현장 조사 방법은 다양하다. 인터뷰, 설문, 멘토링, 아르바이트, 고객 관찰, 체험 클래스, 경쟁사 체험, 현장 답사 등이 있다. 이를 통해 고객 니즈뿐만 아니라 **시장의 흐름**과 **트렌드**도 파악할 수 있다. 특히 스타트업에게 현장 조사는 더욱 중요하다. 제한된 자원으로 빠르게 성장해야 하는 스타트업의 특성상, 고객의 니즈를 정확히 파악하고 이에 맞는 설루션을 제공하는 것이 생존의 핵심이기 때문이다. 현장 조사를 통해 얻은 인사이트는 제품 개발, 마케팅 전략 수립, 서비스 개선 등 사업의 모든 측면에 적용될 수 있다.

또한, 현장 조사는 단순히 고객의 니즈를 파악하는 것을 넘어 **미래 트렌드를 예측**하는 데도 도움이 된다. 현장에서 직접 보고 듣고 느낀 것들은 때로는 빅데이터 분석보다 더 정확한 미래 예측의 근거가 될 수 있다. 이는 스타트업이 시장의 변화에 빠르게 대응하고, 때로는 변화를 주도할 수 있게 해준다.

에피소드

한 식품 스타트업 대표 이 씨는 건강식품 시장에 뛰어들기로 결심했다. 처음에는 온라인 트렌드 분석만으로 제품을 개발했지만, 판매는 기대에 미치지 못했다. 고민 끝에 그는 2주간 직접 건강식품 매장에서 아르바이트를 하기로 했다. 고객들과 직접 대화를 나누며, 이 씨는 놀라운 사실을 발견했다. 고객들은 단순히 '건강에 좋은' 제품보다는 '맛있으면서도 건강에 좋은' 제품을 원했던 것이다. 또한, 제품의 원산지와 생산 과정에 대한 관심도 높았다.

이 경험을 바탕으로 이 씨는 제품을 전면 개편했다. 맛과 영양의 균형을 맞추고, 제품의 스토리텔링을 강화했다. 결과는 대성공이었다. 매출은 3개월 만에 5배 늘었고, 충성 고객도 크게 증가했다.

결론 및 정리

스타트업의 핵심은 **틈새시장 발굴**이다. 이를 통해 고객 니즈를 찾고 빠르게 성장하는 것이 목표다. 이 과정에서 "현장 조사 및 체험"은 핵심 키워드가 된다. 현장에서 얻은 경험과 땀은 결코 배신하지 않는다. 고객의 목소리를 직접 듣고, 그들의 행동을 관찰하며, 때로는 그들의 입장이 되어보는 것. 이것이야말로 진정한 고객 중심 경영의 시작이다. 지금 당장 밖으로 나가 고객의 숨결을 느껴보자.

27. 셀링포인트 & 니즈포인트

☑ 핵심 포인트

· 고객 니즈 파악을 위한 셀링포인트와 니즈포인트의 중요성
· 빙산 모델로 이해하는 셀링포인트와 니즈포인트의 관계
· 고객의 지갑을 여는 3단계 접근법
· 효과적인 셀링포인트와 니즈포인트 수립을 위한 분석 도구

수많은 소상공인과 초기 스타트업들이 직면하는 가장 큰 과제는 "고객의 지갑을 어떻게 여는가?"이다. 많은 이들이 이 핵심을 찾지 못한 채 성공한 업체나 멘토의 표면적인 전략을 모방하며 고객의 니즈를 찾으려 한다.

고객 니즈를 정확히 파악하기 위해서는 셀링포인트와 니즈포인트를 이해해야 한다. 이 두 요소는 빙산의 수면 위와 아래에 위치한다. 니즈포인트는 수면 위에서 쉽게 보이는 부분으로, 고객이 필요로 하는 것 중 제품이나 서비스가 충족시킬 수 있는 부분을 의미한다. 반면 셀링포인트는 수면 아래에

있는 부분으로, 제품이나 서비스의 특징 중 고객에게 판매를 유도할 수 있는 매력적인 요소를 말한다.

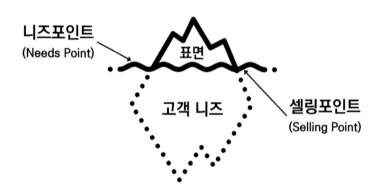

니즈포인트는 고객의 기본적인 필요를 충족시킨다. 예를 들어, 커피 전문점의 경우 갈증 해소나 카페인 섭취가 이에 해당한다. 이는 고객의 시각에서 제품이나 서비스가 해결해야 할 문제(설루션)와 관련된다. 반면 셀링포인트는 고객의 내면적 욕구를 자극한다. 특별한 원두의 향과 맛, 바리스타의 전문성, 아늑한 분위기 등이 셀링포인트가 될 수 있다. 이는 공급자의 시각에서 제품이나 서비스를 개선할 방안을 찾는 것이다.

고객의 지갑을 열기 위해서는 니즈포인트와 셀링포인트가 함께 수립되어야 한다. 이는 3단계 접근법을 통해 가능하다.

첫째, 표면적 접근에서는 호기심과 관심을 유발하여 첫 구매를 유도한다. 둘째, 수면(접점) 포인트에서는 니즈포인트와 셀링포인트의 균형을 찾아 고객의 지갑을 열게 만든다. 마지막으로, 고객 니즈 접근에서는 심리적 만족과 공감을 통해 재구매를 이끌어낸다. 이것이 스타트업의 최종 목표이다.

이러한 셀링포인트와 니즈포인트를 효과적으로 파악하고 수립하기 위해서는 다양한 분석 도구가 필요하다. 앞서 학습했던 STP, 가치 제안 캔버스, PESTLE 분석, 현장 조사, KBF 분석, 페인포인트 분석 등을 활용하여 고객의 표면적 니즈뿐만 아니라 잠재된 니즈까지 파악해야 한다. 이는 마치 커피 전문점이 고객의 취향을 정확히 파악하기 위해 설문조사, 시음회, 트렌드 분석 등 다양한 방법을 사용하는 것과 같다고 할 수 있다.

결론적으로, 셀링포인트와 니즈포인트의 조화는 고객 니즈를 충족시키는 최소한의 기본 요건이다. 이를 통해 단순한 제품이 아닌 가치 있는 상품 즉, 품질 좋은 상품을 제공할 수 있으며, 이는 곧 자연스레 재구매로 이어진다. 고객 니즈는 시시각각 변화하는 동적인 개념이므로, 지속적인 관찰과 개선이 필요하다. 이를 정확히 파악하고 대응하는 것이 비즈니스 성공의 핵심이다.

에피소드

서울의 한 코워킹스페이스. 스타트업 '커피 한잔'이라는 앱을 운영하고 있는 김도윤 대표는 한숨을 쉬며 노트북을 보고 있었다. 출시 3개월째, 그의 모바일 커피 주문 앱은 기대에 미치지 못하고 있었다.

"우리 앱이 뭐가 부족한 걸까요?" 도윤은 팀원들과의 회의에서 물었다. 그들은 출시 전 KBF 분석을 통해 '맛', '가격', '빠른 배달'이 주요 구매 요인임을 파악하고 이에 맞춰 서비스를 구성했지만, 실제 주문량은 저조했다. 마케팅 담당 박지연 씨의 제안으로 실제 사용자 인터뷰를 진행했다. 놀랍게도, 설문에서 나타나지 않았던 새로운 니즈들이 드러났다.

"아침에 줄 서기 싫은데, 앱 사용이 복잡해요."
"어떤 커피가 제 취향에 맞을지 모르겠어요."
"친환경을 고려했으면 좋겠어요."

이 피드백을 바탕으로 '커피 한잔' 팀은 앱을 개편했다. 간편 주문 기능, AI 기반 커피 추천 시스템, 텀블러 사용 포인트 제도를 도입했다. 결과는 놀라웠다. 개편 한 달 만에 주문량이 3배 늘었고, 재사용률도 크게 올랐다.

"셀링포인트만 고집하다 니즈포인트를 놓칠 뻔했네요."

도윤은 웃으며 말했다.

이 사례는 우리에게 중요한 교훈을 준다. 초기 분석에 안주하지 말고, 지속적으로 고객의 니즈를 파악하고 개선해야 한다는 것을 말이다. 셀링포인트와 니즈포인트의 조화, 그리고 이를 위한 끊임없는 노력이 바로 성공의 열쇠인 것이다.

결론 및 정리

결론적으로, 셀링포인트와 니즈포인트의 조화는 고객 니즈를 충족시키는 최소한의 기본 요건이다. 이를 통해 단순한 제품이 아닌 가치 있는 상품, 즉 품질 좋은 상품을 제공할 수 있으며, 이는 곧 자연스레 재구매로 이어진다. 고객 니즈는 시시각각 변화하는 동적인 개념이므로, 지속적인 관찰과 개선이 필요하다. 이를 정확히 파악하고 대응하는 것이 비즈니스 성공의 핵심이다.

에필로그

세계적으로 유명한 애플은 직관적이고 심플한 브랜드와 제품을 만들기로 유명하다. 그 외에도 수많은 기업들이 고객에게 직관적이고 심플한 제품과 서비스를 만들기 위해 밤낮으로 고민하고 있다. 이들은 하나같이 이렇게 외친다.

"Simple is Best"

단순한 것이 최고라는 말. 하지만 그 말속에는 복잡함이 함축되어 있음을 우리는 알아야 한다. 복잡한 것을 단순하게 만드는 과정 자체가 매우 복잡하다는 것이다. 복잡함을 이해시키기 위해서는 단순함에서부터 시작해야 한다는 뜻으로도 해석할 수 있다.

나는 이전에 쓴 《스타트업 실전 바이블》을 통해 스타트업의 모든 프로세스를 담아내고자 했다. 그 책에는 창업에 관한 복잡한 내용이 함축적으로 담겨 있다. 이번에는 그 책의 핵심을 추출하여, 마치 깔때기로 걸러내듯 필터링하고 직관적이고 심플하게 변환하는 작업을 거쳤다. 솔직히, 이 과정은 쉬운 일이 아니었다. 복잡한 내용을 단순화하는 것이 얼마나 어려운 일인지 다시 한번 깨달았다. 하지만 이를 통해 예비 창업자들이 정말 필요하는 핵심 내용을 발견하고 추려낼 수 있었다. 이러한 모든 노력의 결과물이 바로 《예비 창업가를 위한 27가지 마스터 키트》이다.

이 핸드북은 27개의 핵심 주제를 다루고 있으며, 각 주제는 일련의 수행 순서를 나타낸다. 비유와 예시를 통해 각 주제의 내용을 쉽고 빠르게 이해할 수 있도록 돕는다. 이를 통해 창업자들은 자신의 위치와 상황을 신속하게 진단할 수 있다. 책의 서두에 있는 '활용 안내' 장에서는 '속성별 구분'과 '수행 단계별 구분'이라는 두 가지 중요한 분류 방식을 소개한다. 이 분류를 통해 독자들은 별도의 카드 없이도 각 주제가 숲, 나무, 길, TOOL, TEAM 중 어느 속성에 해당하는지 파악할 수 있다.

'숲'은 전체적인 비즈니스 환경을, '나무'는 세부적인 전략을, '길'은 실행 방법을, 'TOOL'은 필요한 방법론을, 'TEAM'은 조직 구성과 운영을 다룬다. 이러한 분류는 창업자들이 시야를 넓히고 좁히는 데 많은 도움을 준다.

주의할 점은 이 책에는 실제 카드가 포함되어 있지 않다. 27장의 스타트업 카드는 별도의 키트로 제공되며, 이 책은 그 카드들의 내용을 상세히 설명하는 가이드 역할을 한다. 하지만 카드 없이도 이 책만으로 충분히 창업의 전 과정을 이해하고 적용할 수 있도록 구성되어 있으니 걱정하진 말자.

끝으로, 이 책은 예비 창업자가 꼭 숙지해야 할 내용만 담았다. 너무 줄이지도, 길게 늘이지도 않았다. 함축된 내용을 담고자 노력했으며, 팁과 노하우를 최대한 담고자 했다. 이 책은 일반 서적의 범주를 넘어, **실전적인 스타트업 교재**를 목적으로 만들어졌다. 즉, 이론과 실제를 모두 아우르는 실용적인 가이드북이라 할 수 있다. 여러분의 창업 여정에 이 책이 든든한 동반자가 되어주길 바란다. 때로는 나침반으로, 때로는 지도로 활용하며 여러분만의 성공 스토리를 만들어 나가길 희망한다.